sociología y política

LA CIUDAD VISTA

mercancías y cultura urbana

beatriz sarlo

siglo veintiuno editores argentina, s.a.
Guatemala 4824 (C1425BUP), Buenos Aires, Argentina

siglo veintiuno editores, s.a. de c.v.
Cerro del Agua 248, Delegación Coyoacán (04310), D.F., México

siglo veintiuno de españa editores, s.a.
Sector Foresta nº 1, Tres Cantos (28760), Madrid, España

Sarlo, Beatriz
La ciudad vista: Mercancías y cultura urbana - 1ª ed. 2ª reimp.-
Buenos Aires : Siglo Veintiuno Editores, 2010
232 p. ; 21x14 cm. (Sociología y política)

ISBN 978-987-629-075-3

1. Ensayo argentino I. Título
CDD A864

Diseño de colección: tholön kunst
Cubierta: Peter Tjebbes

ISBN: 978-987-629-075-3

Impreso en: Grafinor // Lamadrid 1576, Villa Ballester
en el mes de diciembre de 2010

Índice

Introducción

Desde que comencé a pensar este libro me propuse no renunciar ni a la literatura ni al registro directo, documental, sino articularlos como se articularon en mi cabeza durante los últimos años. El libro sale, entonces, de itinerarios sobre dos espacios diferentes pero que se entrecruzan: la ciudad real y las ciudades imaginadas. Mi primera convicción fue, por así decirlo, de método. La segunda fue una definición de objeto: la unidad cultural de Buenos Aires. Desde el punto de vista económico, social, de transporte, la ciudad no está separada del conurbano. Sin embargo, en términos culturales y de cultura urbana, todavía se puede hablar de Buenos Aires dentro de sus límites históricos.

El plan del libro estuvo casi definido desde el principio y lo escribí en orden para probarme que era posible sostener su argumento. El primer capítulo se ocupa del *shopping center* y de los ambulantes, ya que la circulación de las mercancías define formas de uso de la ciudad y produce innovaciones definitivas en el espacio público. Cuando en 1994 escribí sobre el *shopping center* el tema era una novedad en la Argentina; esas pocas páginas de *Escenas de la vida posmoderna* hoy me parecen un esbozo lejano y aproximativo, aunque les reconozca la intuición de lo que ya estaba sucediendo de modo irreversible. Hoy creo que el *shopping center* ha impuesto su tipología a todas las formas de consumo, por lo menos de modo imaginario; en el otro extremo, los ambulantes definen un uso de la calle que, por su intensidad, es original desde mediados de los años noventa. En el arco entre el *shopping center* y los ambulantes se define la "ciudad de las mercancías".

La ciudad del mercado tiene sus marginales y sus irregulares: el segundo capítulo se ocupa de la "ciudad de los pobres". Aquí me parece necesaria una observación. La etnografía urbana sobre Buenos Aires opta, generalmente, por representar a los pobres a través de sus propios discursos, acompañados de descripciones débiles para evitar un problema clásico: hablar por el otro. No comprende, sin embargo, que esas transcripciones son también una forma de 'hablar por el otro', y, además, no siempre la mejor ni la más comprensiva. Al 'otro pobre' le sucede lo que al etnógrafo: ni sabe todo lo que dice ni dice todo lo que sabe. En eso, todos los seres somos iguales. La etnografía urbana compite con el periodismo, citado muchas veces como fuente, que ha producido algunos documentos más detallados y vivaces, más próximos y perceptivos, que los académicos.

El camino que seguí fue el contrario, y lo elegí conscientemente. Durante cuatro años recorrí la ciudad tratando de ver y de escuchar, pero sin apretar las teclas de ningún grabador. Llevaba, cuando llevaba algo, una libretita y una cámara digital, y tomaba centenares de fotografías, algunas de las cuales se publican acá sin epígrafes. Me propuse un conocimiento visual de algunas manifestaciones evidentes de la nueva pobreza, confiada en la potencia significativa de los pormenores. Christine Buci-Glucksmann dijo que la captación precisa de un "barroquismo de superficie" puede permitir una especie de mirada de conjunto y, al mismo tiempo, alcanzar "una escritura del detalle, donde el ver y el saber se dan al mismo tiempo".[1]

Desde la misma perspectiva próxima fui a la "ciudad de los extranjeros". En el tercer capítulo sostengo el argumento que, antes, me había ayudado a entender: Buenos Aires fue siempre una ciudad de extranjeros, de inmigrantes llegados de cerca o de lejos: hoy los sudamericanos, los argentinos de las provincias y los asiáticos; ayer los europeos. Traté de hacer preguntas que pusieran en relación estas ciudades de extranjeros diferentes. Traté, sobre todo, de no sucumbir a la superstición de atribuir cualquiera de sus actos a la construcción deliberada de una identidad. Esos actos, esos barrios, esas festividades, esas ferias son signos en flotación que coagulan, se consolidan, pero también se dispersan; son formas de la vida cotidiana que no están constantemente machacando sobre la identidad como si los extranjeros y los pobres vivieran en un ininterrumpido proceso identitario, como si fueran distintos a nosotros, como si la identidad en ellos no fuera, al igual que la nuestra, una intermitencia. Incluso cuando son discriminados, estigmatizados por el racismo, su identidad no es un compacto sino un medio subjetivo fluido, en el que interviene centralmente la lengua. La "ciudad de los extranjeros" es verdaderamente polifónica y poligráfica; traté de ubicarme en ella desde la perspectiva de los nuevos migrantes, que no hablan el castellano del Río de la Plata, y retrocedí hacia la literatura escrita en el primer tercio del siglo XX para ver cómo sonaban entonces otras polifonías.

Aunque la literatura está en todo el libro, el cuarto capítulo trabaja especialmente con fragmentos de narraciones y poemas; también con pinturas y fotografías. Busqué no sólo representaciones de Buenos Aires, sino ideas y modelos de ciudad, formas que hicieron visible la ciudad en la obra de algunos artistas; trabajé sobre textos que muestran el amor a la ciudad y otros que la rechazan o no la entienden. También me pregunté cuáles son las materias que la literatura o la pintura descubren en la ciudad: de qué está hecha la ciudad del arte y cuáles son los objetos, los edificios, las mercancías con los que establece un contacto fuerte, ese punto crucial de una obra que parece tocar aquello que está fuera de ella.

El último capítulo analiza también imágenes de ciudad y, más precisamente, de la más actual. Las preguntas se refieren a los modelos culturales que se construyen en una ciudad para transmitirlos a sus propios habitantes y a los visitantes. No ¿cuál es la identidad de esta ciudad?, lo que es innecesario o imposible responder, sino ¿qué identidad dice esta ciudad que es la suya para convencer a otros y convencerse a sí misma? La 'originalidad', la 'personalidad', la 'peculiaridad' tal como aparecen en los discursos del turismo o en aquellos que los porteños articulan y consumen sobre *barrios culturales*, como Palermo, o ciberciudades desmaterializadas.

Cuando releí los originales no me sorprendió que, ya en el último tramo de una vida extensa como la mía, fueran tan evidentes las primeras deudas contraídas. No habría escrito lo que escribí si no hubiera leído a Roland Barthes, si no siguiera leyéndolo. Una mínima parte de la felicidad intelectual que produce Barthes es la que desearía para los lectores de este libro.

AGRADECIMIENTOS

Al Departamento de Lenguas Romances de la Universidad de Chicago y a Agnes Lugo-Ortiz, que me permitieron pasar dos meses en una gran ciudad y una gran biblioteca.

A Jorge Sánchez, que, siendo director de *Viva*, me ofreció una columna semanal criticada por casi todo el mundo, que me permitió dar vueltas por la ciudad con la excusa de que estaba haciendo mi trabajo.

A Rafael Filippelli, que cambió mi forma de ver el cine y, por lo tanto, mi mirada.

1. La ciudad de las mercancías

I. EL SHOPPING CENTER

Tirar abajo un *shopping center* es imposible, porque iría en contra de la época de un modo utópico y revolucionario. La ciudad no ofrece a todos lo mismo, pero a todos les ofrece algo, incluso a los marginales que recogen las sobras producidas por los incluidos. La mayoría de los habitantes de la ciudad encuentran en el mercado lo que creen desear libremente cuando una alternativa no se les presenta ante los ojos, o les resulta desconocida y probablemente hostil a lo que han aprendido en la cultura más persuasiva de las últimas décadas: la de los consumidores.

Principio diabólico. "En el arte, existe siempre un principio diabólico que actúa en contra y trata de demolerla", escribió Robert Bresson. En todo artefacto delicado, resistente y complejo, como la ciudad, hay también un potencial de desorden, encarnizado en desmentir el ideal de sistema integrado que contradicen la intemperie, los espacios abiertos, las calles, las vías de transporte y, sobre todo, la competencia por ocupar materialmente los edificios y la tierra. Sólo una tipología, la del *shopping center*, resiste al principio diabólico del desorden, exorcizado por la perfecta adecuación entre finalidad y disposición del espacio. La circulación mercantil de objetos encontró una estética sin excedentes desviados.

El orden del mercado es mil veces más eficaz que el orden público: de donde la dinámica de la mercancía es más fuerte que el Estado. "Ir de compras se ha convertido en el ingrediente principal de cualquier sustancia urbana. El cambio es colosal. La ciudad solía ser gratis; ahora hay que pagar por ella".[2]

A mediados del siglo XIX, en París, la gran capital del siglo, se inventó el *grand magasin*, donde por primera vez la exposición de la mercancía, su valor para los ojos, fue más importante que su valor de uso. La mercancía entró en un nuevo régimen óptico; el lujo, que tradicionalmente acompañó la disposición de mercancías para la nobleza o la aristocracia, se convirtió en una cualidad para atraer a las nuevas clases medias urbanas. Le Bon Marché abrió en 1852 y la gran tienda Louvre en 1855. Zola representó Le Bon Marché en *Le bonheur des dames*, donde las técnicas de exhibición mercantil y la velocidad de cambio de los objetos puestos a la venta multiplicaban las sensaciones de mujeres que, literalmente, eran consumidas por su deseo. La mercancía, por primera vez, se convierte en tema urbano por la decoración de las vidrieras, un arte 'menor' (define David Harvey) perfectamente funcional a la articulación mayor de los grandes bulevares parisinos trazados por Haussmann.[3] Tres décadas antes, Flaubert hizo girar el destino de Emma Bovary, su burguesa de provincia, en torno a las deudas que ella contrae por la intermediación de un comerciante despierto e inescrupuloso; Emma sucumbe por el desengaño del amor romántico que buscó en sus amantes y también por el amor a esos objetos preciosos, las telas con las que cubre su cuerpo: de modo casi profético, mercancía y adulterio se enlazan en *Madame Bovary*.

Las grandes tiendas de Buenos Aires fueron, desde 1914, Gath y Chaves, ubicada en la esquina de Florida y Cangallo (entre sus atracciones: cuatro magníficas escaleras y una escalera mecánica), y Harrods, a pocas cuadras, entre Córdoba y Paraguay. Trazaban el camino de las mercancías que, hasta mediados del siglo pasado, tuvo su vía maestra en la calle Florida. A pocos metros de Gath y Chaves, el fabuloso pasaje Güemes, sobre el que Roberto Arlt escribió en 1928:

> Con el terror de luz eléctrica que desde la mañana a la noche inunda para *in eternum* sus criptas, cajas fuertes y quioscos de vidrio. Con el zumbido de sus ascensores, subiendo, mejor dicho deslizándose perpendicularmente. Y con ese maremagno de gente bien vestida y misteriosa que de la mañana a la noche se pasea por allí, y que no

> se sabe si son gentiles rateros, pesquisas, empresarios de teatro o qué sé yo.
> Se respira allí una atmósfera neoyorquina; es la Babel de Yanquilandia transplantada a la tierra criolla e imponiendo el prestigio de sus bares automáticos, de sus zapatos amarillos, de las victrolas ortofónicas, de los letreros de siete colores y de las "girls" dirigiéndose a los teatros con números de variedades que ocupan los sótanos y las alturas....
> Vestidos reglamentados, melenas de corte reglamentado, tacos de altura reglamentada. Feas y lindas. Caritas pálidas todas. Amabilidad de "qué se le va a hacer". Comparten casi todas el quiosco con un mozo dependiente. Perfumes, flores, café, bombones, venden de todo.[4]

Arlt observaba los escenarios que Walter Benjamin encontró, por esa misma época, en su investigación sobre el París del siglo XIX; y también miraba las muchachas modernas que Krakauer descubría en Berlín. Era Buenos Aires y se vivía la primera gran transformación mercantil del siglo pasado. Cambio en las formas de intermediación, distribución y presentación de mercancías: vendedoras jóvenes y aburridas, objetos deseables por su disposición, su precio, su efecto estilístico, su estar a la moda, su abundancia simbólica, sus insinuaciones: perfumes, flores, bombones, regalos para la mujer de mundo o para la amante, ofrecidos a los hombres por jovencitas pálidas que sueñan no con vender esos objetos sino con recibirlos. La mirada descubre lujos desconocidos, tanto en las materias como en la novedad de su puesta en escena y, sobre todo, en las fantasías que disparan. Esto es como el cine, imagina Arlt, que ve el futuro en los detalles aparentemente menores del presente. Arlt es un escritor futurista y, por eso, puede ser crítico sin volverse nunca nostálgico. Sus modos de mirar (exclusión de la melancolía, acidez de la crítica, precisión) son un método.

Hegemonía. Las grandes tiendas, los pasajes y las galerías, de todos modos, formaban parte de la ciudad, se entretejían con ella; desde las ventanas de Harrods se veían los paseantes de Florida.

Las viejas galerías Pacífico enlazaban bajo techo las calles que limitaban una manzana de ciudad a través de anchos pasillos laterales, decorados por las mercancías expuestas en negocios que no invadían visualmente, desde cuyos extremos podían verse perfectamente los frescos de Berni o Spilimbergo que hoy están casi ocultos por los signos del comercio que dicta la ley visual en las nuevas Pacífico. En cambio, pocos usan un *shopping* como pasaje entre calles; ese trayecto, aunque posible, no está previsto en el programa, que busca independizarse de la ciudad y reinar sobre ella desde una diferencia irreductible.

Algunos arquitectos se han vuelto famosos sólo porque han construido *shopping malls* y parques temáticos (pertenecientes, en un sentido amplio, al mismo género que otros arquitectos consideran no-arquitectura). Rem Koolhaas, entre el cinismo y la crítica, reconoce lo que Jon Jerde, con inigualable claridad, declaró al *New York Times*: "La adicción al consumo es lo que reunirá a la gente". Como algunos analistas culturales, Jerde descubre que el *shopping mall* produce comunidad allí mismo donde parecía haberse perdido para siempre.[5] En los orígenes de esta convicción hay un episodio autobiográfico, convertido en ficción programática: después de una visita a Italia, Jerde cree posible aplicar la configuración de una aldea de la Toscana, con su plaza, sus iglesias, sus campanarios, donde creyó observar una comunidad fuertemente relacionada, a magnos proyectos de *shopping malls* y parques temáticos. Maestro ilusionista, como se lo ha llamado, en su City-walk de Hollywood Boulevard en Los Angeles, Jerde incorporó algún detalle mínimo que evocara la vieja calle comercial norteamericana, como el de simular envoltorios de caramelos incrustados en la cerámica de los pisos flamantes, para que sus visitantes no se vieran obligados a ser los simulacros humanos de un paisaje 'comunitario' recién inaugurado: como toda comunidad supone una historia, es decir un tiempo pasado, esos envoltorios proporcionan los emblemas de una infancia que allí también podría haber transcurrido. La limpieza al vacío, que es una regla del *shopping mall* o del parque temático, necesita de pequeños signos estéticos de vida, precisamente porque es necesario controlar cualquier desorden, en primer lugar el de la ciudad y también el que pueda causar la imprevisible naturaleza.

El *shopping* se ha convertido en la plaza pública que corresponde a la época, e incluye en casi todas partes cines, restaurantes y negocios, parques de diversiones bajo techo, galerías de exposición, salas de conferencias. Al revés, un complejo de cines tiene que tener hoy, como mandato de una imitación generalizadora, su aspecto *shopping*: una decena de *boutiques* y quioscos, en el caso más somero. Esto fue descubierto primero por Walt Disney, en cuyos parques la diversión que se paga con la entrada y los consumos adyacentes están tejidos de modo inseparable. Esos parques Disney fueron las primeras grandes catedrales para la comunidad de consumidores del capitalismo tardío: utopías degeneradas, las llamó Louis Marin, en una época en que los académicos todavía usaban palabras fuertes.[6]

Los *shoppings* tienden a parecerse (lo cual sostiene la ilusión de que es un artefacto que iguala a sus usuarios), aunque las grandes marcas de la alta costura no desciendan a establecerse allí donde lo que domina es el nivel medio. Cuando un *shopping* no ofrece todas las marcas, de algún modo rompe su contrato de universalidad, porque priva de algunos objetos a sus visitantes, a quienes considera indignos por falta de dinero; deja así al descubierto que nadie es igual en el mercado. Sin embargo, la igualdad no descansa sobre un puñado de marcas elitistas, sino sobre una estrategia para disponer las mercancías de la mayoría. La estética del *shopping* iguala no por el lado de los precios ni por el del acceso a los objetos, sino por el lado estético de su disposición escenográfica. Es un paraíso del contacto directo con la mercancía. Por eso, el *shopping* es imaginariamente inclusivo, aunque los diversos niveles de consumo sean excluyentes. Por el lado de la inclusión imaginaria, el *shopping* crea el espacio de esa comunidad de consumidores cuyos recursos son desiguales pero que pueden acceder visualmente a las mercancías en exposición de un modo que las viejas calles comerciales socialmente estratificadas no permiten. Las mercancías del *shopping* fingen no estar estratificadas, aunque es obvio que se agrupan según variaciones de emplazamiento social.

El *shopping* no es todo en la ciudad, pero es la forma que representa el punto culminante del ocio mercantil. Es evidente que los negocios persisten en las calles, a cielo abierto, pero incluso en los barrios donde el *shopping* todavía no ha llegado se sabe que es la forma más deseada del ocio. Lo último, si es exitoso, reestructura las relaciones entre los edificios y los servicios anteriores: el pequeño supermercado de barrio imita, abarrotadamente, al gran supermercado, porque ése es su modelo aunque sea espacial y económicamente inalcanzable. La novedad define el tono, el estilo y los hábitos incluso en aquellos espacios que no pueden imitarla realmente. Eso se llama "hegemonía cultural", y se sostiene en la acumulación material pero también en la educación del gusto de los usuarios. Funciona perfectamente de acuerdo con sus fines. Probablemente por eso ya no se critica al *shopping*: es demasiado eficiente y domina el circuito de las mercancías de un modo que sólo cambiará con una transformación tan radical de las formas de consumo como la que él mismo trajo.

Regularidad. El *shopping center* asegura algunos de los requisitos que se exigen de una ciudad: orden, claridad, limpieza, seguridad, y que no están garantizados en las ciudades de los países pobres o sólo se obtienen parcialmente fuera de los enclaves del capitalismo globalizado.[7] El *shopping* da la ilusión de independizarse de la ciudad y del clima: la luz es inalterable y los olores son siempre los mismos (relentes de materia plástica, vaporizadores). Frente al relativo azar de lo que podría suceder en la calle, el *shopping* repite sus ritmos detrás de sus superficies glaseadas. Los que defienden esa forma con que el mercado influyó sobre la urbanística de muchas ciudades se apoyan precisamente en razones de uso regulado y normalizado: en el *shopping* los viejos y los adolescentes pueden pasear seguros, hay servicios al alcance de todo el mundo, es muy difícil robar o ser robado, y lo que se da para ver es lo que todos quieren mirar.

Pese a las variaciones de estilo, todos los *shoppings* son idénticos, aunque en América del Norte la imaginación populista de los arquitectos (una segunda generación posterior a *Learning from Las Vegas,* el manifiesto de Robert Venturi y Denise Scott Brown) y la concentración de recursos encaren multimillonarias imitaciones de aldeas al aire libre, construcciones urbanas completas, extensiones territoriales casi inimaginables en medio de desiertos linderos con ciudades prósperas, comunicados por autopistas de doce carriles.

El *shopping* no es simplemente una parte de la ciudad sino su reemplazo por un sistema nuevo, donde se atenúa o desaparece lo que caracterizó, en el pasado, lo urbano. Por eso, aunque pueda emplazarse en una ciudad, ésta le es indiferente, y puede caer al lado de una autopista, en un baldío yermo, sin necesitar nada de lo que en una ciudad lo rodea. Esto no sucedió con los pasajes y las galerías, que ofrecían a la ciudad espacios techados cuyo diseño no respondía a una lógica opuesta a lo que sucedía en las calles, sino que, por el contrario, las necesitaba y las presuponía como espacios contiguos. El pasaje imitaba la calle, perfeccionándola en lugar de repudiarla; incluso lo que sucedía en la calle se magnificaba en el pasaje, se volvía más perceptible y más atractivo o tenebroso. Los remates de los negocios imitaban las fachadas al aire libre, como miniaturas interiorizadas, y allí vivieron prostitutas y otros irregulares de la ciudad del siglo XIX.

El *shopping* ahuyenta a esos irregulares, porque instala normas de vigilancia que hacen posible tanto la seguridad como la repetición. El *shopping* es de las familias, de los pobres decentes, de las capas medias cuando pueden comprar y también cuando no pueden. A diferencia de la calle y de los llamados centros comerciales al aire libre, sobre los cuales no hay control de la puesta en escena ni del diseño, en el *shopping* nada es casual. Los visitantes se desplazan en una atmósfera artificial como los peces domésticos en sus recipientes oxigenados, decorados con plantas marinas.

El sentido de comunidad al que se refiere el celebratorio Jon Jerde se apoya en esta unanimidad de clases y perfiles culturales que confluyen en el *shopping*. En sociedades como las de América del Norte, esta disposición de la escenografía capitalista responde a una historia de consumo masivo que, como asombró a Sarmiento y lo probó más tarde la inmensa fortuna de Macy's, comienza con la venta por catálogo y la impecable distribución por correo de las mercancías. A partir de entonces, los Estados Unidos en particular ajustaron cada una de las máquinas y de las tecnologías de consumo. En tensión con los clivajes sociales y las imposibilidades económicas, en los países periféricos el *shopping* revela una desigualdad mayor entre quienes lo usan como paseo y quienes, además, compran de modo significativo. Sin embargo, el éxito para unos y otros está en las posibilidades de ensoñación que ofrece: siempre es mejor desear que no desear.

Walter Benjamin, que indicó la pregnancia de las mercancías sobre la imaginación en las sociedades modernas, escribió:

> Pobreza de la experiencia: no hay que entenderla como si los hombres añoraran una experiencia nueva. No; añoran liberarse de las experiencias, añoran un mundo donde puedan hacer que su pobreza, la externa y por último también la interna, cobre vigencia tan clara, tan limpiamente que salga de ella algo decoroso. No siempre son ignorantes o inexpertos. Con frecuencia es posible decir todo lo contrario: lo han "devorado" todo, la "cultura" y "el hombre", y están sobresaturados y cansados... Al cansancio le sigue el sueño, y no es raro por tanto que el ensueño indemnice de la tristeza y del cansancio del día y que muestre realizada esa existencia enteramente simple, pero enteramente grandiosa para la que faltan fuerzas en la vigilia. La existencia del ratón Mickey es ese ensueño de los hombres actuales. Es una existencia llena de prodigios que no sólo superan los prodigios técnicos, sino que se ríen de ellos. Ya que lo más notable de ellos es que proceden todos sin maquinaria, improvisados, del cuerpo del ratón Mickey, del de sus compañeros y sus perseguidores, o de los muebles más cotidianos, igual que si salieran de un árbol, de las nubes o del océano. Naturaleza y técnica, primitivismo y confort van aquí a una, y ante los ojos de las gentes fatigadas por las complicaciones sin fin de cada día y cuya meta vital no emerge sino como lejanísimo punto de fuga en una perspectiva infinita de medios... En sus edificaciones, en sus imágenes y en sus historias la humanidad se prepara a sobrevivir, si es preciso, a la cultura.[8]

Exposición. El *shopping* exhibe las piezas de una actualidad volátil: como en una galería de arte, lo que se ve no siempre podrá ser adquirido, pero la visión ha educado la mirada. Aunque se espera que los visitantes compren, en un *shopping* es posible entregarse solamente al placer óptico. Muchas de sus mercancías son inaccesibles para la mayoría de sus visitantes, pero pueden observarse como se hojea una revista de ricos y famosos, para ver cómo es la piscina o el gimnasio privado de una *celebrity*. La exposición de objetos inalcanzables alimenta la relación amorosa entre el *shopping* y sus visitantes, quienes salen de allí transportando muchas veces una bolsa minúscula que contiene una vela o un frasco de esencias perfumadas, un peine de madera o una hebilla para el pelo, esas cositas pequeñas que ofrecen los quioscos del *shopping* disponiéndolas como si se tratara de tesoros de joyería para los más pobres. Esta diseminación de la oferta entre lo inaccesible y lo casi carente de valor fortalece la fidelidad que sienten hacia el *shopping* los más chicos y los viejos, como si la existencia de mercancías menores fuera una prótesis compensatoria del resentimiento de quienes no pueden adquirir sino lo más barato. Casi todos pueden salir del *shopping* con una bolsita colgando.

Contra la entropía. El diseño y el funcionamiento del *shopping* se oponen al carácter aleatorio y, en consecuencia, indeterminado de la ciudad. La ciudad es un territorio abierto a la exploración por desplazamiento dinámico, visual, de ruidos y de olores: es un espacio de experiencias corporales e intelectuales; está medianamente regulado pero también vive de las transgresiones menores a las reglas (cada ciudad tiene sus transgresiones, sus imprevistos, como los llama Paolo Cottino). En oposición a este funcionamiento 'sucio', no completamente controlable de la ciudad, el *shopping* asegura la repetición de lo idéntico en todo el planeta. En el *shopping* se produce lo que una teoría celebratoria llama "atracción adyacente": todo lo que entra en su combinatoria se vuelve significativo y potencia el significado de lo que lo precede y lo sigue, como una metonímica cadena de la felicidad. El *shopping* es un espacio de conexiones, cuyos elementos 'gramaticales' deben mantener una relación ordenada para ser comprensibles y son comprensibles porque la mantienen. "En el *mall* típico, el éxito económico depende de la restricción de la variedad espacial: el infinito comercial requiere del confinamiento del sujeto dentro de una inacabable igualdad del espacio."[9]

Nunca el concepto abstracto de mercado tuvo una traducción espacial tan precisa. Las calles comerciales, entregadas a la competencia, tienden al desorden, incluso cuando se regula el tamaño de los carteles, los anuncios y las marquesinas. Las vidrieras responden al capricho o al buen diseño de los dueños de los comercios. Los mercados al aire libre tienden a soportar una fuerza entrópica, incluso cuando las mercancías alcanzan su ordenamiento más riguroso: las frutas no tienen exactamente el mismo color que ayer, las hojas de las verduras son irregulares, los quesos van envejeciendo a medida que son vendidos, los cortes de las carnes se imponen como cartografías diferentes pese a la inclinación clasificatoria de quienes las venden. Un mostrador comienza el día ordenado, cuando todo está bajo control, y a la noche termina con huecos y ángulos no calculados entre sus mercancías. En los mercados de ambulantes lo irregular es inevitable aun cuando todo lo ofrecido se repita.

Contra esta variedad perversa, porque transgrede espacialmente el ideal que subyace a la ley general del mercado, el *shopping* realiza de manera perfecta lo que manda la mercancía: exhibe la regularidad de su valor medido en dinero, de manera abstracta y con una tendencia irrefrenable a presentarse como universal. Por eso los *shopping*s pueden ser recorridos sin que se los conozca; no necesitan ser familiares porque no ofrecen nada diferente a lo que ya se sabe por experiencias anteriores. No se puede descubrir un *shopping*. Su cualidad es precisamente la opuesta: negarse a todo descubrimiento porque tal actividad significaría una pérdida de tiempo y una falla de funcionamiento. El *shopping* debe estar tan perfectamente señalizado como una autopista de alta velocidad.

Última invención urbana del mercado, el *shopping* llegó en el momento en que se creyó que la ciudad se volvía insegura o, mejor dicho, en que la inseguridad, que fue siempre un tema urbano (las "clases peligrosas" del siglo XIX, los delincuentes al acecho, las prostitutas y sus rufianes, los carteristas y los embaucadores, los perversos, los obreros, los desocupados, los mendigos, los enfermos ambulantes), se convirtió en una preocupación central: el miedo de la ciudad y el miedo en la ciudad, el éxodo a barrios cerrados, a enclaves que simulan aldeas, a suburbios bajo control, el abandono de los espacios abiertos a causa de sus acechanzas. A esta forma de enfrentar un conjunto de cambios, que sucedieron en todas las ciudades del mundo, el mercado le ofreció su creación: el *shopping*, un espacio público de gestión privada.

Las cualidades del *shopping* son las que necesita quien vive temeroso en la ciudad. Como si se ajustara a un diseño divino (la mano invisible del mercado dibuja con un omnisciente buril de hierro), la regularidad, el orden, la limpieza y la repetición, que impiden el salto a lo imprevisto, aseguran que el *shopping* funcione sin ninguno de los inconvenientes de lo urbano. En un momento en que la ciudad es vista como fuente de males y donde se pide una ciudad disciplinada que responda a ese imaginario del miedo y a condiciones reales de incertidumbre, el *shopping* ofrece lo que se busca y, además, gratis.

Desde esta perspectiva, comprar y consumir serían las actividades fundamentales que se realizan en el *shopping* pero no las razones de su éxito, que son otras: la serenidad de lo controlado de modo invisible (de nuevo, la mano invisible, divina, que primero diseña y luego, como la Providencia, dirige el control que los usuarios buscan). El modo *shopping* de circulación de las mercancías conoce todos los recovecos de las fantasías persecutorias de su público. Y a ellas responde con una afirmación de identidad: no soy la ciudad, soy mejor que la ciudad y, además, puedo estar en cualquier parte, al lado de una autopista, a 1 kilómetro de una villa miseria; nada puede pasarme, soy inexpugnable, las fuerzas que giran desatadas por la ciudad no entran aquí.

Por lo tanto, del *shopping* está ausente el principio de desorganización que marca lo urbano como adversario del principio de organización que también lo define: "La economía visual del capitalismo moderno ha levantado nuevas barreras ante la experiencia compleja en las calles de la ciudad".[10] Frente a la disgregación peligrosa de fuerzas en la ciudad, el *shopping* hace creer que no tiene nada que ver con ella, que todo lo que parece hostil e indeseable se convierte en amistoso y atractivo, como si los defectos y fallas de la ciudad (los que se le atribuyen, los que existen realmente, los que se imaginan, los que merodean el discurso de los medios hasta convertirse en sentido común, los que hacen víctimas) se invirtieran en el *shopping*, cuya disciplina no está erosionada por la deriva imprecisa y llena de sorpresas de las redes abiertas de la ciudad, sino que resulta de la guía tutelar del mercado. El *shopping* es una organización férrea que parece libre y algodonosa. La ciudad es una organización más suelta que parece funcionar hoy como si sólo lastimara con sus aristas y durezas. En este intercambio de cualidades reside el éxito del *shopping*.

El espacio está organizado racionalmente, sin que se admitan elementos ni intervenciones que afecten esa racionalidad. Esto es posible porque el espacio es, como se dijo, de uso público pero de gestión y propiedad privada; por lo tanto, un vendedor informal no puede establecerse, como en la calle, al lado de la vidriera interior de un negocio de *shopping*. La racionalidad mercantil se apoya en la propiedad privada de los espacios de circulación, cuyo orden queda garantizado como necesidad de esa ratio. El *shopping* es ordenado porque expulsa la idea misma de desorden y se opone así a la ciudad, cuyo espacio público, incluso en sus momentos y lugares de mayor ordenamiento, no puede condenar de manera instantánea el uso no previsto. En oposición a la casualidad que rige lo urbano, incluso lo urbano más planificado, el *shopping* expulsa la casualidad y junto con ella cualquier intervención fuera de programa. Este ordenamiento es lo que lo diferencia, para sus usuarios de manera positiva, de la posible irrupción de los avatares ineliminables de lo urbano. Modelo de un mercado ordenado, el *shopping* ofrece un modelo de sociabilidad ordenada entre 'iguales': sin interferencias de acontecimientos no programados, sin posibilidad de desplazamientos que se alejen de las rutas trazadas, sin usos perversos de la escenografía (no se admiten grafitis, ni obleas, ni esténciles, nada que resulte ajeno a la estética y la gráfica del *shopping*). En una ciudad donde prevalecen las sensaciones de incertidumbre, los recorridos previstos por el *shopping* liquidan esa sensación sin afectar la ilusión de independencia y libertad (que es, por supuesto, falsa: en el *shopping* ni siquiera se puede tomar una cerveza en un lugar que no haya sido previsto para eso por su diseño).

Frente al desorden visual de la ciudad, el orden del *shopping* ofrece un espacio completamente bajo control a quienes padecen la entropía urbana porque su experiencia o sus prejuicios o sus gustos les indican que es peligrosa, desestabilizadora y fea. En el registro visual, el *shopping* comunica lo que garantiza en el registro práctico: acá no puede suceder nada que no haya sido previsto, no hay azar, tampoco hay novedad, excepto la de la rotación de las mercancías.

Si se experimenta a la ciudad como peligrosa, el *shopping* produce serenidad porque es muy fácil de conocer y sus cambios son también sencillos de descifrar (como la experiencia televisiva, la del *shopping* es casi instantánea y sin instrucciones). La ciudad presenta una proliferación de signos de naturalezas encontradas que se asocian, compiten, se anulan o entran en conflicto. Por definición, el *shopping* tiene que expulsar estas tramas espesas de signos, no puede estar cubierto de capas y capas de configuraciones significativas; su ideal es presentar una superficie sin profundidad oculta. En este aspecto, es un clásico artefacto posmoderno que se brinda por completo en sus superficies: pura decoración, escenografía que se representa a sí misma.

Por todas estas razones el *shopping* es extremadamente eficaz en términos de tiempo. Pero también es plástico. Se lo puede usar a toda velocidad o muy lentamente. Es compacto, ahorrativo, semiológicamente amigable, reduce el azar al mínimo, no ofrece alternativas sobre las que haya que emplear otros conocimientos que los que se adquieren en el uso programado.

Tiene una perfección desconocida en otros espacios del mercado (las calles comerciales o los agrupamientos a cielo abierto), porque ninguna situación es incontrolable, y ha sido diseñado teniendo como fin la expulsión de lo incontrolable. Ningún espacio público puede ofrecer ese funcionamiento sin obstáculos, porque la aparición del obstáculo, del imprevisto, de lo que no ha sido normado, es inevitable allí donde el mercado no gobierna completamente. Este funcionamiento sin residuos produce un bienestar.

Apenas se cruza el umbral del *shopping*, se abandona un espacio urbano que no se controla del todo para entrar en otro donde cualquier indeterminación ha sido expulsada por el programa. Fatigada de la indeterminación típica de lo urbano, la gente encuentra en el *shopping* un espacio extraurbano dentro de la ciudad o a sus costados. Hay que pensar qué es lo que la ciudad niega a sus habitantes para descubrir qué es lo que el *shopping* les ofrece como reemplazo. Incluso, últimamente, el *hall* de algún *shopping* puede convertirse en arena de simulacros de combate para grupos de adolescentes, como las veredas de la disco a las seis de la mañana. Pero el control del *shopping* es infinitamente más eficaz que el de la calle, que el de los violentos responsables de seguridad de una disco o la policía.

La mercancía como celebrity. El *shopping* trabaja en el mismo sentido que los medios de comunicación audiovisuales. Se va allí para ver y no necesariamente se experimenta la frustración de no poder alcanzar lo que se ve. Como si se tratara de la belleza de una *celebrity* o de un programa de recetas de cocina, lo que el *shopping* ofrece no obliga en cada ocasión a la compra, aunque ésta sea el objetivo común del *shopping* y de su visitante. Existe una especie de zona donde puede neutralizarse la frustración. El espectáculo de la abundancia de mercancías en muchos casos inaccesibles funda el atractivo probablemente menor de las mercancías en efecto compradas y las ennoblece. Al igual que la pantalla de televisión, la vidriera del *shopping* llama a la ensoñación y a la imaginación tanto como al disfrute material. Acumula lo que es deseable, no lo que es accesible a todos. Esa acumulación de deseabilidad es menos frustrante que el hecho de que no todos los objetos puedan ser efectivamente apropiados.

La imaginación es lo que importa, como en el caso de la belleza y la sensualidad de las *celebrities*. Todo lo que aparece en la vidriera del *shopping* es deseable sin que ese deseo deba culminar en cada caso con la posesión. Se fomenta la actividad del deseo dirigido, no la realización invariable del deseo. El negocio funciona de ese modo, porque una parte residual del deseo se cumple (las ventas se realizan) y se vuelve por más provocaciones al deseo.

La organización del *shopping* es una organización racional y regulada de los deseos. Debe conseguir que algunos se cumplan para asegurar el lucro, pero depende de que otros queden incumplidos para garantizar el regreso. Funciona así como los medios audiovisuales: muestran lo deseable sin prometer otra cosa que su incesante repetición. El *shopping*, como los medios, aunque en apariencia están movidos por el cambio, son cíclicos: despiertan y no satisfacen del todo, despiertan y no satisfacen del todo, y así sucesivamente en un *loop* del que depende el éxito mercantil y la satisfacción de quienes lo hacen posible.

El éxito del *shopping*, como el de la televisión, está movido por la familiaridad extrema que sus usuarios tienen con la máquina en la que se incluyen y cuyas normas siguen. Tanto como la televisión, el *shopping* permite el *zapping* dentro de un mapa férreamente construido. Son dispositivos que estimulan la sensación de la libertad de desplazamiento por la sencilla razón de que deben conservar dentro de ellos a todo el mundo. Pero, como la televisión, el *shopping* no produce incertidumbre material ni simbólica, porque su función es justamente proveer programas libres de incertidumbre, es decir, de manejo sencillo y con reglas claras.

Absorción. El *shopping* asimila, como una medusa gigantesca, todo lo que se encuentra dentro de sus límites o, incluso, cerca de ellos. Por eso es tan difícil mirar los murales que un *shopping* ha salvado de la destrucción, o la vieja arquitectura que otro *shopping* ocupa, después de haberla vaciado. La fuerza de las insignias del mercado es infinitamente superior a la del arte, que se miniaturiza hasta desaparecer cuando el *shopping* lo incluye como su pretexto cultural. Viejos silos portuarios, viejos mercados de abasto, viejas estaciones de trenes, incluso cárceles (como en el montevideano de Punta Carretas) o escuelas (como en Córdoba), viejas galerías de inspiración decimonónica: todas esas arquitecturas llenas de cualidades o de historia se aplanan como si sólo hubieran existido para proporcionar alguna decoración exótica al *shopping* que iba a ocuparlas.

Por otra parte, pocos van al *shopping* a mirar arquitectura o murales. Sólo algunos turistas y los chicos de las escuelas obligados por sus maestros siguen el itinerario de ese seudoprograma que el *shopping* presentó como justificativo de su existencia, para lograr exenciones del código de edificación o descatalogaciones de edificios históricos. Un ejemplo de esto último es la rústica agresión perpetrada por el llamado "Museo de los Niños" y el parque de diversiones adyacente en el viejo Mercado de Abasto de Buenos Aires, cuyas bóvedas, que en su momento ofrecieron un argumento para conservar el edificio, fueron condenadas a la destrucción visual. Hay que ser un verdadero cazador de perspectivas para observar desde el interior del *shopping* algunas decenas de metros de bóveda que no estén interrumpidos por las adiciones más disparatadas. Lo horroroso de ese sector, un verdadero despojo de guerra transformado en patio de juegos y de comidas, debería recordarse cada vez que se dice salvar un edificio valioso instalando allí un centro comercial.

La capacidad de absorción del *shopping* es comparable a la de los medios audiovisuales que presentan todo, incluso lo que está más alejado de su estética o de su lógica, imponiendo a esos fragmentos extranjeros una pátina que los vuelve mediáticos, cualidad que no poseían antes de aparecer en una pantalla, donde todo lo que no fue televisión se transmuta, como si el mundo 'exterior' tuviera en su origen el destino de ser materia prima de una escenografía o de un relato. Aquello que viene del pasado se convierte en alimento de la actualidad inmediata, y su individualidad de obra o su cualidad de cosa construida desaparecen para convertirse en soporte neutralizado del mensaje mediático o del ensamblaje *shopping*. Las insignias del mercado son poderosas porque indican el presente de un modo en que las obras de arte o los edificios memorables, por su diseño o técnica, no pueden hacerlo. Lo que subsiste del pasado en el *shopping* es obliterado por la renovación de cada instante. Ni Berni ni Spilimbergo tienen la resonancia actual de las marcas del mercado; no están apoyados sino en su obra, que en el ámbito del *shopping* es un peso muerto, una suma de desconocimientos y malentendidos. Detrás de un banderín con el logo de una marca, el mural es un *memento mori* que dice a quienes no lo escuchan: "Estoy aquí, pero sé que no puedo ser visto; estoy aquí para no ser visto".

Como los medios audiovisuales, el *shopping* gobierna todos los elementos extraños (artísticos, por ejemplo) que incorpora o tolera porque no le queda más remedio o porque pueden agitarse como argumentos de prestigio. No tiene sentido lamentarse por el uso que hace de lo construido previamente en el predio que ocupa; tampoco se conseguirá mucho denunciando que, para conservar un mural, se lo vuelve invisible o, de modo más irreverente, con un gusto completamente pop, se lo combina con las insignias del mercado. El programa del *shopping* es hegemónico por razones que son anteriores y más importantes que las que los conservacionistas pueden proporcionar a quienes reciclan viejas instalaciones o conservan antiguas obras en un marco nuevo. Es difícil contradecir este programa y aceptar el *shopping* al mismo tiempo, porque el *shopping es el programa*. La conservación de las obras de arte en un *shopping* puede servir sólo a fines de archivo. Están allí para quien vaya no simplemente a mirarlas o descubrirlas, sino a consultarlas.

No se trata simplemente de señalar los límites de este conservacionismo hipócrita, sino de resaltar la potencia de las fuerzas mercantiles que toman argumentos conservacionistas en el momento en que la obra no ha comenzado y los transgreden hasta volverlos una racionalización inútil cuando la obra avanza hacia su funcionamiento pleno. El *shopping* no necesita de esas racionalizaciones para construirse *ex novo* o utilizando un edificio histórico cuya estructura es considerada, por los expertos o por la opinión pública, valiosa. No rechaza 'decorados' preexistentes, sino que los regula según sus implacables normas visuales, porque, si no lo hiciera, pondría en peligro no sólo su propia coherencia estética sino la función del espacio que esa estética recubre.

El *shopping* supera siempre los restos artísticos o arquitectónicos colonizados, tanto si los desquicia como si los vuelve invisibles, ya que su finalidad no es conservar un fragmento valioso del pasado, sino incorporarlo a su espacio (si no puede prescindir de él), sujetándolo mediante un cambio radical de funciones: de oficinas portuarias a *mall* y patio de comidas, de mercado mayorista de alimentos a conjunto de negocios y entretenimientos, de puerto de pescadores a parque temático, etc. El cambio de función es crucial.

Así como gobierna la articulación de sus elementos edilicios y visuales, el *shopping* no impide algunas actividades que estaban ausentes de su programa inicial pero que se realizan allí porque no le son contrarias. Como paseo-de-compras, el objetivo principal es el segundo término, pero el primero debe definir el ambiente y su posibilidad de usos secundarios. Por eso, los grupos adolescentes pueden usarlo como lugar de encuentro habitual: chicos de 14 y 15 años que se caracterizan por usar pantalones angostos y por el afán de sacarse fotos con sus celulares para enviarlas de una punta a la otra del hall del *shopping* provocaron una especie de motín; esta pequeña tribu urbana será reemplazada por otra en cuanto caigan fuera de moda los pantalones con que se distingue. Pequeñas conmociones que le dan al *shopping* una especie de pálida imitación de la vida de calle, sin sus eventuales rebeliones fuertes. Un *shopping* que indicara usos y desplazamientos de modo demasiado evidente podría ser desobedecido, mientras que, guiados por la ficción de libertad y expresividad, lo obligatorio desaparece. De este modo el *shopping* asimila lo que no está previsto en sus objetivos principales mientras no se los contradiga (los paseos de adolescentes que se reúnen en el *shopping* no necesariamente a comprar, aunque también a comprar; la gente pobre que va los fines de semana a mirar mercancías inaccesibles; los viejos y los niños), como algunas cadenas de comida rápida incorporan combinaciones no previstas en el modelo inicial, para localizar la marca en una cultura alimentaria determinada. El éxito está en la plasticidad para plegarse a lo secundario mientras no se contradigan las leyes principales.

Es cierto que cualquier innovación no diseñada, cualquier práctica espontánea, cualquier persona o grupo que se sientan 'creativos' pueden desorganizar el espacio y sus usos. Como se vio, el *shopping* es antientrópico; sin embargo, para que no se convierta en un espacio demasiado reglamentado incluso para aquellos que dócilmente quieren huir del desorden urbano, deben autorizarse usos secundarios. Si se los persiguiera, el *shopping* mostraría un aspecto demasiado 'panóptico', la imagen agresiva de un mercado disciplinador. Para evitar la entropía, el *shopping* debe asegurar una cantidad de cualidades antientrópicas invisibles pero omnipresentes.

La fundamental es el orden y la disposición de los desechos, que no se realiza a intervalos determinados sino a lo largo de un ciclo completo e ininterrumpido: se limpia de la mañana a la noche, de modo que jamás sea posible tropezar con el rastro de un uso desagradable del espacio (a diferencia de las calles que, incluso en las ciudades más ordenadas, se limpian en horarios fijos, y sus desechos se retiran una o dos veces por semana o todas las noches: cuando menor es la periodicidad, mayor la suciedad). La limpieza incluye el control de los olores reconocibles como callejeros. El *shopping* los reprime cubriéndolos con otros olores que dan testimonio de la limpieza interior. El olor del *shopping* es la prueba de su limpieza, no su resultado. Si bien este tratamiento de los olores se perfecciona en las horas anteriores a la apertura, continúa durante todo el día. Entre todo lo que ofrece, el *shopping* reparte gratis diafanidad y transparencia entre gente que probablemente vive en departamentos oscuros, cuyas ventanas dan a calles ruidosas o a pozos de aire y luz donde se mezclan los sonidos y los olores. No es poco.

Claridad conceptual. Pese a los imprevistos y las funciones nuevas que el *shopping* digiere, las cualidades esenciales deben mantenerse intactas durante catorce o quince horas, como en una nave interplanetaria donde la vida de sus tripulantes depende de ellas. En efecto, la limpieza del *shopping* tiene algo de escenario de ciencia ficción, también evocado por su claridad, la nitidez con que las cosas deben verse, el ordenamiento de las materias y la disposición de los diferentes espacios, las particiones, la planta abierta pero al mismo tiempo dividida en porciones que se vuelven accesibles a medida que se avanza. La perspectiva es de proximidad y segmentada, pero las particiones no oponen obstáculos al tránsito sino que cumplen el papel de estaciones de transferencia (de una escalera a un quiosco, de un pasillo a un mostrador). Así se diferencia el *shopping* de los *grands magasins*, donde no hay particiones internas, excepto las que son elementos de la arquitectura del edificio; los *grands magasins* no se parecen unos a otros (quien conoce las Galleries La Fayette no conoce Macy's, quien conoce KaDeWe no conoce Harrods). El *grand magasin* pertenece a la era del capitalismo mercantil, localizado. El *shopping*, a la era del capitalismo global y expansivo.

El *grand magasin* es vertiginoso, literalmente da vértigo cuando las galerías de todos los pisos dan a un mismo hall central, como en las Galleries La Fayette de Jean Nouvel en Berlín o el histórico edificio de Chicago de Macy's, con cúpula de Tiffany. El *shopping* nunca es vertiginoso. Si lo fuera, atentaría contra su ordenamiento, que debe brindarse al conocimiento inmediato de sus usuarios. Podría pensarse que el *shopping* es el perfeccionamiento del *grand magasin*, mediante la corrección de sus 'defectos' de uso. Pero más bien parecen disposiciones espaciales diferentes cuya comparación es inevitablemente superficial, como también es superficial la comparación del *shopping* con las galerías del siglo XIX y la primera mitad del siglo XX.

Si con algo hubiera que comparar su claridad, su racionalidad, sería con el supermercado. Son contemporáneos y tienen las mismas cualidades: eficiencia en el uso que deja pocos espacios residuales; apertura a recorridos que den la impresión de libres elecciones mercantiles y espaciales; claridad de los señalamientos, con signos e índices bien legibles de modo que el cliente de un supermercado o un *shopping* pueda usar otro sin dificultades, aunque se encuentre lejos, incluso en una ciudad diferente (o sobre todo en una ciudad diferente); definición de los perfumes, los sonidos y las luces a fin de evitar la injerencia de olores, sombras, penumbras o ruidos no contemplados por el programa. Y, sobre todo, la repetición: "La abundancia puede ser opresiva o euforizante, pero la repetición es siempre estética y el efecto que produce es misterioso".[11]

Clientes expertos. La claridad conceptual del *shopping* (como la del supermercado) nos vuelve a todos expertos en consumo. Por sí sola la publicidad no habría producido este efecto, porque se trata de un saber práctico que incluye orientaciones espaciales y un repertorio de sensaciones familiares. El consumo real (no el que se produce por Internet) necesita espacios, que cambian con la historia. La máquina más perfecta para el logro de sus fines es la que hoy ha alcanzado la hegemonía y se propone como modelo incluso a espacios localizados que ni por sus dimensiones ni por sus posibilidades de variación pueden ser verdaderos supermercados o verdaderos *shoppings*. El *shopping* entrena a la mayor cantidad posible de gente para que esté en condiciones de moverse dentro de su diseño: una ampliación de los saberes del consumidor que se alcanza a través de funcionamientos accesibles, perfeccionados sin interrupción.

Los chicos y los adolescentes saben moverse allí velozmente porque no conservan recuerdos de otras formas anteriores de consumo ni han tenido otras experiencias más deseables o por las que puedan sentir nostalgia. Conocen como primera forma hegemónica de consumo la del *shopping*, y no están obligados a extrañar una caída en desuso de otras costumbres, ni a olvidarlas para adquirir otras. El *shopping* es, además, una comunidad joven porque sus trabajadores están preparados para entender la mecánica de la exhibición y la venta que ya han practicado como consumidores reales o imaginarios. Con sus clientes jóvenes, los vendedores del *shopping* comparten un mundo: se identifican directamente, lo que no sucedía en los *grands magasins* (donde las envidias y las diferencias eran conflictivas) ni sucede en las tiendas de las marcas más caras, que son generalmente extra *shopping*.

El *shopping* es un paraíso de capas medias, donde centenares trabajan y otros consumen pero a todos los une la ilusión de que podrían intercambiar sus puestos en cualquier momento (ilusión que sería descabellada en una vendedora de Cartier, de Kenzo o de Armani). A esas capas medias se dirigen los mensajes institucionales. Por ejemplo, "220 marcas quieren entrar en tu historia" es la consigna publicitaria del *shopping* Abasto, con la que apoya la idea de la identificación por el logo (la historia de alguien contada a través de logos, como si se tratara de un deportista y sus *sponsors*, un maravilloso invento de la imaginación distorsionante).

El *shopping* es un *Neverland* de jóvenes donde circulan todas las edades, una fantasía infantil de la abundancia que parece al alcance de la mano porque está al alcance de la vista. Es una fiesta óptica y socialmente expansiva. Incluso los viejos, al estar masivamente retirados del consumo excepto por intermediación de los jóvenes, se asocian a ellos, sobre todo porque el *shopping* no los expone a una humillante retirada con las manos vacías, ya que simplemente han ido a mirar. En estos dos extremos generacionales, una vez que la disciplina del *shopping* los capta, queda encerrado el resto del mundo.

Sólo permanecen afuera los grupos de elite cultural, económica, los 'innovadores', los 'originales', los dedicados a las actividades comunicativas, de diseño, etc., que adoran la remera *vintage* comprada en un negocio de ropa vieja pero no la comprarían nueva en el gran local de una cadena de tiendas ubicada en un *shopping*. Estos grupos son los que pasean por los negocios en zonas comerciales a cielo abierto que, en algunas ciudades, se ubican cerca de los restaurantes que componen patios de comida también a cielo abierto; ejemplo porteño: los diversos Palermos.

Y también quedan afuera los muy pobres, ese oscuro anillo exterior.

II. AMBULANTES

Santiago de Compostela. Los jueves por la mañana las mujeres llegan desde sus aldeas a vender verduras en el mercado de Santiago de Compostela. Todas, o casi todas, son viejas. Se sientan en banquitos enanos y charlan con sus clientas, que también son viejas. En las canastas no hay un solo tomate que sea igual a otro; todos tienen alguna marca, un punto negro o un lunar más claro; mazos de grelos todavía húmedos y coles pequeñas e imperfectas, como cabezas de niño. Cada una de estas mujeres tiene una relación directa con el producto que trae al mercado; viven cerca de Santiago y cerca de esas verduras, en un espacio que todavía hoy conserva algo de arcaico. Seguramente son las últimas que venden verduras orgánicas sin decorarlas con ese adjetivo hiperbólico, mitad técnico y mitad estético, propio de un vocabulario sobre *lifestyles*.

Cifras. Según un relevamiento de la Federación de Comercio e Industria local, en 2007 había 4.057 puestos de ambulantes en la ciudad de Buenos Aires, un 17,4 por ciento más que el año anterior. En Parque Centenario los puestos serían 1.200; en Costanera Sur, 412 (la mayoría venden comida); en Parque Lezama, 600; en Parque Saavedra, 300; en la zona de Once, 177. "Los rubros que

más se comercializan son anteojos de sol, música en CD, películas en DVD, calculadoras, relojes y pilas. También se ve muy a menudo indumentaria y lencería, y otros rubros como accesorios de telefonía, juguetería y productos para el turismo."[12] La foto que ilustra la nota periodística que ofrece estos datos fue tomada en la vereda del Concejo Deliberante: un puesto de ropa y, más atrás, dos tablas verticales con collares y anillitos. El espacio público como mercado de los informales.

San Telmo. Carta de V. L.

> Estuve contratada por la Municipalidad pero no me pagan desde abril. El domingo pasado armé en la calle, en Defensa entre México y Venezuela, barrio de San Telmo. Tengo un pasado de feriante, pero nunca antes tiré un paño en el piso como esta vez. Tuve (tuvimos) que ir muy temprano, llegué a las 5.30 porque a las 7 ya está todo lleno. Brasileros flacos cargando a sus hijos, gente con pocos dientes y cara de hambre, gente mayor,

gente con problemas físicos; tuve que hacer un esfuerzo grande para no ponerme a llorar ahí mismo, junto a mis compañeros excluidos del sistema. De día la cosa mejora, se escuchan los instrumentos de percusión que se venden en la otra cuadra y suenan realmente bien. Una consigue el diario, se sienta en un banquito plegable y pide un cortado a un señor que pasa con su carrito. La vida tal vez no sea tan dura, después de todo. Sólo es cuestión de expandir los límites de la comodidad, que si una puede hacer esto, qué no va a poder hacer luego. Gracias Chopra, Dyer y demás amigos entre sí, ya que no de una. Armamos literalmente en la calle, sobre el asfalto. Igualmente hasta las 9 sólo se marca territorio. Ése es el motivo de llegar tan temprano, porque recién a esa hora Defensa se hace peatonal. Igualmente algunos kamikazes arman antes, hay colectiveros respetuosos o pacientes que pasan despacio entre los "puestos" y otros malhumorados cuyo lenguaje implícito es "váyanse a joder a otro lado, manga de vagos", y sin reducir la velocidad arrollan paños y mercadería. Hay que verlo. Estuve hasta las 18 para vender 10 pesos, el remise me salió 17, calcule la ganancia. A última hora me fijé en una chica joven, española, que hacía malabares con tres pelotas naranjas y también con clavas. Tenía mucha gracia, detenía una pelota sobre la punta de los dedos y la hacía caminar por el brazo o la arrojaba a su espalda y la recuperaba de frente con la otra mano. Tenía puestas unas simples ojotas de cuero, pollera roja y musculosa blanca. Le estaba enseñando a un muchacho de pelo largo y ojos ilusionados, no sé si por la promesa de su futura maestría o por ella. Perdido por perdido me acerqué yo también en busca de la magia, y estuve practicando. Quise llevarme algo más que la frustración de un día de ventas perdido. Pensé en decirle a María que se elija un par de aros para ella, pero intuí que no necesitaba nada más que su despojada gracia para sentirse plena.

Esto me escribió V. L.[13] Colectivos "arrollando" las alfombritas con artesanías, pulseritas y anillos, como en una estampida: el otro lado de la línea interminable de ambulantes en las calles de la ciudad, que repiten sus chucherías, ordenándolas a medida que el paso del tiempo y de la gente las tuerce o las saca de su disposición inicial, como si la disciplina del ambulante fuera la de un obsesivo de la geometría. La chica que hacía malabares parece Nastassja Kinski en *Movimiento falso* de Wim Wenders, y recuerda, por supuesto, al célebre bailarín con quien dialoga von Kleist. El escritor le pregunta por qué lo ha visto tantas veces, y tan concentrado, frente al teatro de marionetas. El bailarín le explica que "todo movimiento tiene su centro de gravedad", desde donde una línea "misteriosa" se proyecta hacia la Tierra, y ése es el camino "que sigue el alma del bailarín": en el caso de las marionetas, la mano del maestro que las mueve es un punto superior de esa línea respecto de la cual la marioneta cae, siguiendo su centro; librados a las fuerzas de esta caída, sus miembros se mueven inconscientemente y en armonía. La gracia es el efecto negativo de este abandono de la marioneta a su inconsciencia.[14]

Las marionetas que miraba el actor interrogado por von Kleist también fueron presencias irregulares pero habituales en las calles. Ambulantes y objetos son inseparables de la ciudad a la que decoran con estilos que no han sido decididos por nadie; intervenciones que irritan el orden de la ciudad y que seguirán allí por dos razones: hay gente en la calle y hay gente que *sólo* puede vender en la calle.

Liniers. Fotografía. Las carpas de los ambulantes están armadas sobre las alcantarillas de las calles que rodean la iglesia de San Cayetano. Una guarda de objetos acompaña a los fieles y, para decirlo con una frase hecha pero verdadera, les endulza la espera. No son una distracción comercial ajena a las devociones, sino que permiten recordar ese momento durante el resto del año: la piedra que se trae del camino recorrido en peregrinación hacia el lugar sagrado.

En los mostradores de los ambulantes que rodean la iglesia, la exuberancia proviene de cada pieza y del conjunto intrincado que forman al amontonarse. Como esas casitas alpinas de tejas encerradas en una bola de cristal sobre las que cae nieve si se las agita, los *souvenirs* santos son alegres, hogareños, familiares. Adornos para poner sobre una repisa, una vez que se los ha retirado de la exhibición en la calle, donde forman un conjunto colorido y un poco bizarro. Ojos de cristal plástico habitados por el santo, la Virgen o Jesucristo: en la calle todo, hasta un pisapapeles de San Cayetano-con-niño, muestra su lado escenográfico. La calle es espectáculo aun para los objetos más banales.

En las esquinas, montones de tachos carcomidos por el fuego encierran restos del carbón que se encendió de noche para cortar el frío. Dentro de las carpas, pilas de mantas, mochilas, abrigos, trapos, cacerolas, bidones, termos. Es una peregrinación estática, que no avanza junto con los fieles; desde el principio ocupa el mismo lugar. La doble línea de fieles y de puestos de venta parece un largo mural de cortejo religioso que remata en el atrio.

En agosto, para las fiestas de San Cayetano, debajo de los mostradores callejeros, los vendedores acampan. Un chico duerme; la combinación de colores de su refugio es espléndida, y la masa de pelo lacio castaño claro que emerge de la manta le da una especie de estilo publicitario. *Advertising* espontáneo, como si todo fuera producido siguiendo un estilo, aunque sea la mirada la que atribuye estilo a algo que fue dispuesto por la casualidad. La manta roja tiene una textura lineal geométrica, que sólo se percibe desde muy cerca; la manta amarilla es más esponjosa y blanda; la manta a cuadros, convencional. En realidad, la roja y la amarilla no son mantas sino piezas de tela, paños de una cortina, quién sabe. Sujetas a los parantes de hierro del puesto, colgando de ellos, las dos piezas han sido colocadas como si se tratara de una españolada. Sin embargo, es imposible que haya existido esa deliberación previa. Se descubre una intención decorativa donde sólo operó el azar: en el encuentro imprevisto de dos rectángulos de tela sobre los que, como en una hamaca paraguaya, un chico duerme en la calle, a pleno día, debajo del puesto donde se venden chucherías religiosas, en las cercanías de una iglesia.

El hecho de que la combinación de las telas sea la de la bandera española agrega algo: una especie de absurda gitanería, aunque se sabe que los gitanos no tienen esa bandera; algo de lo ambulante del toreo y de la danza, una especie de mito Hollywood o mito Merimée de España. Lo cierto es que al ver el rojo y el amarillo pegados uno con el otro es difícil desechar la evocación de una bandera. Prueba de que cualquier cosa queda librada a una significación invasora que captura todo: los colores, las texturas, su combinación colgante y a la vez flotante en el espacio.

La fotografía oculta una parte de su argumento, como suele pasar. Del durmiente se ve sólo la mata de pelo y no se sabe si tiene 8 o 12 años; si trabajó durante algunas horas en ese puesto o simplemente acompañó a alguien. A lo mejor está durmiendo una siesta después de pasar toda una noche despierto, atento a los clientes que salen de la cola formada a cuadras de la iglesia. Duerme porque está cansado o aburrido, enredado entre unas mantas a cuadros rojos y amarillos. Si estuviera en una casa, se diría de ese chico que ha estado jugando con las mantas, armando una carpa o un refugio de exploradores. Pero está en la calle.

¿Cuál es la historia? Y, en todo caso, ¿por qué interesarse por esa historia si no es siquiera una historia? No es posible suspender acá el sentido; en las cuadras y cuadras de ambulantes todo puede parecer indiferenciado e indiferente. Sin embargo, algunos recortes, como el de esta foto, producen la intromisión no buscada de un sentido que debería estar pero que tampoco está del todo.

Hay, entre los ambulantes, una señora que cose gorros y una tarotista: sincretismo de la festividad católica que se encuentra con el *new age* y sus recursos milenarios de adivinación. La religión popular, callejera, no es dogmática.

Clasificación. Lo industrial. Una montaña de porquerías circula de mano en mano: falsificaciones, imitaciones, chucherías, partidas robadas, contrabando. Quienes venden y quienes compran están más o menos nivelados en sus consumos, remachados por sus límites económicos. Las mercancías de los ambulantes, que ocupan centenares de metros en Corrientes, Florida, Rivadavia, alrededor de las estaciones de tren, de los nudos de transporte vial y las veredas de zonas comerciales de muchos barrios, se dividen en dos clases.

La primera (industrial) es vendida a través de ambulantes organizados por mayoristas, con puestos atendidos por empleados que frecuentemente reciben, a medio día, raciones de comida llegadas desde afuera de la zona ocupada. Estos ambulantes son quienes defienden el "derecho a trabajar" en la calle, en condiciones de debilidad, ya que los mayoristas se ubican fuera de las disposiciones legales del comercio al aire libre y cometen todas las infracciones, comenzando por las que soporta la propia red de sus empleados. La vigilancia de los puestos está relativamente tecnificada: por celular y por *handy* transmiten avisos cuando la policía se acerca, periódicamente, para desalojarlos por contravenciones varias, entre ellas la carencia de habilitación en regla. La historia es bien conocida y forma parte del capítulo del comercio en negro que tiene sus cimas hiperconcentradas en ferias establecidas bajo techo como La Salada, sobre el límite de la ciudad de Buenos Aires, y las diversas Saladitas.

Venden ropa y objetos industriales, chatarra nacional o importada, que, a su vez, se divide en tres tipos: los 'útiles', que se ofrecen más baratos que en los comercios (o esto suponen los clientes y pregonan los vendedores), como pilas, lapiceras, linternas, destornilladores, baterías, anteojos, despertadores, encendedores, fundas para teléfono, medias, gorros, guantes de medida universal, buzos, pantalones deportivos, ropa interior, perfumes, etc. Los objetos industriales 'inútiles', que agregan un toque estético a la vida de quien los adquiere: adornitos, animales de peluche, cuadritos. Estos objetos interesan fundamentalmente a los sectores de bajos recursos, y no ofrecen ninguna cualidad de pintoresquismo social ni urbano. Son la polución de lo peor que vomitan fábricas que, según denuncias continuadas, también operan en la ilegalidad o en sus proximidades. El tercer tipo de objeto son los de entretenimiento: juguetes a pila, CD y DVD truchos de música, juegos y películas que interesan a casi todo el mundo, como todo el mundo es potencial cliente de buenas falsificaciones de ropa deportiva con el logo de marca.

En *El carrito de Eneas,* con la precisión material que la poesía puede alcanzar mejor que los inventarios académicos, Daniel

Samoilovich describe la feria de ambulantes establecidos en la estación Retiro, cercana a la entrada del Ferrocarril Belgrano y paso inevitable para llegar a la terminal de ómnibus de Buenos Aires. Vulcano, forjador de escudos, yelmos y lanzas para los héroes de la mitología mediterránea clásica, ha forjado para Eneas (hijo de Troya en la *Ilíada* y cartonero de Buenos Aires en este poema) un carrito donde se representan los objetos que circulan en el zócalo de ambulantes establecidos en la zona baja del transporte urbano que rodea las estaciones ferroviarias. La exaltación del cartonero Eneas desborda sobre los objetos de su mundo. Forjado y decorado por el dios, su carrito ostenta en sus barrales y travesaños la multiplicación caótica de los objetos industriales:

> Vulcano ha grabado en el barral izquierdo,
> con gran arte y contento, una legión
> de tenderetes obviamente ilegales
> mas no por ello menos coloridos:
> todo el comercio y la quincallería
> del oriente más lejano y tramposiento, las radios
> que te despiertan en la madrugada
> con noticias falsas y siniestras, las pilas más vencidas,
> las biromes que han de estallar en tus bolsillos
> llenándolos de una brea azul, imborrable como el odio,
> los paraguas que, como memento
> de nuestro único paso por la tierra, han de abrirse
> sólo una vez, las medias corredizas
> como nudos de horca, los pañuelos
> que han de rasparte la nariz hasta que luzca roja
> cual faro del infierno, las más impúdicas bombachas,
> las artesanías más cretinas, dos abuelos
> que sonríen dulcemente, cada uno al cabo
> de un cable enrulado de teléfono, ese rompenueces
> con que alguno ha de quebrar el cuello de su novia,
> las tramontinas con dientes especiales
> para matarse en una tarde de domingo,
> las calculadoras para contar lo infinito de tus deudas,

las pelotitas que rebotan hasta el cielo azul celeste,
revistas de crucigramas ya resueltos,
remeras distinguidas con el más triste de los cocodrilos,
lupas, a ver si encuentras todavía
el tamaño de tu hombría, adaptadores
de dos patas a tres agujeros, de tres patas a dos agujeros,
de un sola pata
a una población entera de agujeros negros,
camisetas de tu equipo preferido, cualquiera que fuera,
y cualesquiera hubieran sido las alegrías o tristezas
que en otro tiempo te hubiera procurado;
y, más, Marforio, más, pavas, sartenes, chanclos, zapatillas,
y relojes, relojes, relojes
que al unísono marcan las horas que te huyen,
los horas que te quedan: todas, Marforio, hieren,
la postrera mata; aquí está todo lo que esquifes y camellos
trajeron a través de la porosa frontera
o se cayó de los camiones que, bravíos,
surcan las rutas de la patria,
de los autobuses aligerados al pasar por la villa 31,
toda la variedad de la humana industria
está aquí desplegada sobre alfombras,
sobre trapos, frazadas, caballetes
cuyas patitas flacas apenas soportan
esta ingente, riquísima carga.[15]

La descripción de la obra de Vulcano sobre el barral del carrito vira de épica a cómica, como también viraron a lo cómico las guerras heroicas en las parodias, pero se cumplen las reglas: a cada sustantivo su atribución adjetiva condensada o expandida. Samoilovich revela el alma de las mercancías sin alma ni diseño. Las atribuciones que acompañan los objetos inventariados ponen de manifiesto que ellos, anónimos e insatisfactorios, adquieren una amenazadora dimensión subjetiva, que no llega a ser terrible porque es cómica. Contra la estandarización que transforma a esos objetos en miembros indistinguibles de una serie, Samoilovich los somete a una especie de crecimiento fantástico.

Si se pasa por alto esta dimensión subjetiva, podría pensarse que los objetos se adquieren sólo porque su baja calidad y su presencia habitual fuera de la legalidad del mercado los vuelven baratos y los colocan cerca de sus futuros propietarios. Esto es cierto y funciona como razón objetiva mayor, ya que los ambulantes venden las mercancías de los pobres. Pero esta conclusión estrecha, e inevitable desde el punto de vista económico, pasa por alto el plus de sentido que esos objetos agregan a la estricta necesidad. Las atribuciones de Samoilovich ubican las cosas bajo la luz de la imaginación. Se personalizan tanto como se deforman, se rompen y fallan. En todas las mercancías hay una potencialidad fantasiosa, onírica, de uso desviado, de irrupción no deseada en la vida, y ello las vuelve extrañas por un camino tan avieso como su pésima calidad material. Son parte del mundo que conocen los pobres: crónica roja, malas noticias, aparatos que funcionan a medias, diseños que van en contra de lo que el objeto promete, instrumentos peligrosos que tienden a descomponerse o desarmarse.

Clasificación. Lo artesanal

> La revista *Elle* (verdadero tesoro de mitologías) nos ofrece casi todas las semanas una hermosa fotografía en colores de un plato armado: perdices doradas con cerezas, *chaud-froid* de pollo rosáceo, timbal de langosta rodeado de caparazones rojas, *charlotte* cremosa embellecida con dibujos de frutas abrillantadas, vainillas multicolores, etc. En esta cocina, la categoría sustancial dominante es la cobertura: el ingenio se empeña en glasear las superficies, en curvarlas y esconder lo comestible bajo el sedimento liso de las salsas, cremas, *fondants* y gelatinas. Esto se relaciona evidentemente con la finalidad misma de la cobertura, que es de orden visual, y la cocina de *Elle* es pura cocina de la vista, que es un sentido distinguido.[16]

La cocina que describe Barthes (platos de afiche, para ser fotografiados) se dirige a "un público verdaderamente popular" y es una "cocina mágica". Medio siglo después, la cita de Barthes vuelve a la memoria cuando se miran los objetos inútiles de los artesanos y seudoartesanos callejeros. Si los industriales fueron la primera clase analizada, éstos pertenecen a la segunda: objetos hechos a mano o que lo simulan.

Las alfombras están cubiertas por una geometría de "platos armados" que tienen productores, intermediarios y un mercado, fabricación, oferta y demanda. Mates burilados o decorados a fuego, con incrustaciones barrocas y bordes de chapa repujada; hebillas, cinturones, ojotas y billeteras de cuero grabados a punzón; collarcitos y pulseritas de cuentas, monederos bordados, carteritas y prendedores; velas e incienso, portavelas, marcos, lámparas, cajas y recipientes de todo tipo grabados, pintados, con tapa, sin tapa, con incrustaciones y apliques, que se ajustan siempre a un estilo retro-hippie-folk. Lo recargado, lo deforme y lo irregular evocan lo 'hecho a mano'.

Los centenares de metros de alfombras cubiertas por estos objetos tienen una apariencia pintoresca y los turistas, así como muchos habitantes de la ciudad, se detienen porque descubren allí la sombra del color local y de una autenticidad que se ha desvanecido (desvanecida, por supuesto, también en estos objetos). Muchos vendedores producen sus mercancías delante de quienes pueden ser sus clientes, para aprovechar el tiempo, sin duda, pero también para darle un aura de autenticidad a lo que venden. Como sea, salvo que se vea que el objeto sale de las manos del artesano, los cruces entre las categorías son habituales: industrial que imita la imperfección del artesano; o soporte seriado, adquirido en los comercios de 'manualidades', sobre el que se imprimen rasgos individuales de terminación.

Recipientes redondos de vidrio imitación vitral; miniaturas hechas de falsos fragmentos de vidrio coloreado con falsas uniones de una materia que recuerda el hierro o el bronce (todo comprado en esos negocios de 'hágalo usted mismo', donde hay estatuas blancas de yeso para colorear, pegamentos y el taller entero de los programas de televisión que enseñan *bric-à-brac*). Todos

remiten a una técnica del pasado aplicada a materiales actuales que permiten evocar lejanamente el efecto sin conocer de verdad el secreto del oficio. Esas esferas de colores pegados al azar o, peor aún, buscando algún concierto cromático pueden servir para los sahumerios o velas que se venden en la alfombrita de al lado, o para guardar anillitos, collarcitos y monedas para el colectivo. Nadie las necesita y, sin embargo, se producen y se compran como un agregado estético a la función de perfumar un cuarto u ordenar pequeñas piezas para que no queden desparramadas. Son la decoración que no proporciona un platito blanco sobre el que también se puede apoyar una vela, o un cuenco de acero donde también pueden depositarse monedas. Esta poesía accesible y trivial rodea objetos un poco innecesarios, feos muchas veces, cansadores después de un tiempo, siempre entre comillas.

Los que compran las esferitas de vitrales falsos adquieren una especie de marca estética para la decoración de la vida cotidiana; las coberturas de los objetos de vidrio redondos o los sahumerios con forma de *sampang* o las tiras de cuero sobre las que está pegado un portavelas ridículamente chico agregan una capa de decoración a lo cotidiano. Ese suplemento no mimético ni funcional ofrece una abundancia que desborda los límites a veces muy estrechos de una fantasía que no puede flotar más libremente. Como el deseo, las bolitas de falso vitral no se adaptan bien a nada; son bárbaras en un sentido profundo y verdadero, ilegales según las normas del gusto.

Son, invocando a Bataille, *potlach*, puro gasto desmesurado si se lo mide respecto de los fines que alcanza o las utilidades que ofrece en términos materiales. El *potlach* es derroche y obliga al derroche, porque no se puede responder al *potlach* con mesura sino superando la apuesta: gasto/más gasto/más gasto, incluso hasta la ruina. El *potlach* tiene mucho de incendiario. La aventura de un uso sin cálculo de los recursos: sobreadornado, sobrecubierto, glaseado, coloreado. Uso infantil, erótico, perverso.

Las esferas de vidrio son mercancías que se burlan de la razón instrumental, escapan a cualquier orden estético (ni culto, ni popular, ni artesanal verdadero, ni folk, ni pop). Son desnuda actividad de artesanos que no saben hacer otra cosa para compradores que no pueden comprar otra cosa. Pero este no poder no es simplemente un hueco, ni una carencia, ni una privación lisa y llana. Cuando conversan los vendedores y los compradores, es evidente que se ofrecen un momento de entendimiento verdadero: unos muestran los objetos como si fueran piezas individuales, marcadas por cierta originalidad, los otros los examinan. Se trata de una ilusión indispensable que une a vendedores y compradores en una fugaz autenticidad, donde quien ocupa el lugar del artesano permite que sus mercancías sean examinadas por el futuro cliente con ojo crítico y curiosidad. Al artesano se le pregunta, a veces, si no puede reproducir justamente la forma de ese objeto pero utilizando otros colores; se le pide un objeto a la medida del deseo de su potencial comprador, se le sugieren cambios. El artesano responde señalando detalles especiales del objeto que ofrece, calibrando el tiempo que ha llegado a invertir en producirlo, introduciendo someramente a su cliente en las dificultades encontradas.

En un mundo de objetos idénticos fabricados por máquinas, las esferitas de vidrio (que son todas iguales ante los ojos de quienes no se interesan en ellas) tienen irregularidades que prueban su singularidad para quien va a comprarlas como 'artesanía', es decir, como objeto que lleva la marca de una mano.

Las esferas de vidrio tienen un costado 'lindo', pero también un costado 'monstruoso'. La abundancia decorativa indispensable para que sean lo que son se adhiere formando una capa (la "cobertura" de la cocina de *Elle*) que, como un ácido (es decir, lo contrario de una crema o un glaseado), ha disuelto lo que estaba abajo: no hay nada, son objetos-cobertura, cobertura sin fondo, decoración absoluta que, como un *fondant* gelatinoso de película de ciencia ficción clase B, carcome todo lo que toca hasta hacerlo desaparecer. La decoración es lava sobre estos objetos, y ellos son excesivas flores de lava.

Están también las artesanías 'mixtas'. Es decir, las que tienen un soporte industrial sobre el cual se ha aplicado una dosis mínima de trabajo manual. Por ejemplo, botellas de cerveza cortadas por la mitad y convertidas en vasos o floreros. Estas intervenciones manuales en el mundo de los objetos idénticos provenientes de la industria establecen una tensión entre el soporte material originario y la idea artesanal de trabajar sobre él para personalizarlo. Se convierten así en objetos anfibios, que provienen de un mundo (la industria cervecera) y persisten en otro (el hogar, donde en vez de ir a la basura, como las botellas vacías, lucen sobre una repisa).

Otro grupo de objetos no se define sólo por su modo de producción. De origen industrial, han sido diseñados para responder a estados particulares de la vida, masivos pero cargados de subjetividad. Son también objetos anfibios porque vienen de la industria, pero se convierten en soporte de una intensa devoción personal y, al mismo tiempo, inevitablemente colectiva: deportiva, musical, política o religiosa. Abundan alrededor de los estadios y en los santuarios.

Autodefensa del artesano. El gobierno de la ciudad, de tanto en tanto, quiere sacarlos de las calles. Para defender su derecho a trabajar en ellas, los artesanos ambulantes escribieron estos carteles, expuestos en Florida en agosto de 2008, que, como casi todo lo que hoy se defiende, sostienen el argumento cultural y de identidad, con un no muy sorprendente retorno de lo aurático:

> Artesanía en la calle es parte de una identidad cultural, vehículo de expresión que sale afuera y no se encierra.
>
> Hecho con las manos, el objeto artesanal guarda impresas las huellas originales del que lo hizo y son una señal: la cicatriz casi borrada que conmemora la fraternidad de los hombres.

Libros. No son característicos del mercado ambulante, sino de los clásicos puestos establecidos en plazas y paseos. Sin embargo existen vendedores móviles, que operan en los medios de transporte. Mencionaría dos grupos.

Los que venden la revista *Hecho en Buenos Aires*, que, como en otras ciudades, se publica para ser ofrecida, fuera de los quioscos, por gente de una categoría especial, desocupados, sin casa. Vendedores de *Hecho en Buenos Aires* son entrevistados en la misma revista, aunque esas entrevistas no recogen a quienes son los más marginales: un hombre de más de 70 años, que ordena ejemplares viejos sobre el umbral de los edificios administrativos que quedan cerrados a la noche, abriendo la posibilidad de completar una colección a quienes han perdido o han pasado por alto algún número. O los jóvenes que se mueven como ciegos en los vagones de subterráneo y, sin mirar a nadie, entregan la revista, con un gesto repetido y lejano de toda esperanza, como si las pocas ventas que realizan allí mismo no alcanzaran para probarles que eso es posible.

Otro grupo es el de los vendedores de pequeñas antologías de poemas. Se trata de gente muy joven que no da la impresión de estar impulsada sólo por la necesidad, sino por algo que la relaciona personalmente con lo que están ofreciendo. Las antologías mezclan textos románticos, algunos muy conocidos, con poesía moderna; Rubén Darío, Amado Nervo o Alfonsina Storni aparecen junto a Rimbaud, ilustrados todos por imágenes que evocan la estética del cómic o las viñetas de Aubrey Beardsley. Estas antologías son una síntesis de las primeras lecturas de un adolescente inquieto que bien podría ser el responsable de armar el producto: distintas fotocopias combinadas sobre una página, luego fotocopiadas nuevamente en formato carta que será plegado al medio y entapado dentro de una cartulina rústica de color desvaído. Encuentran sus compradores entre gente también muy joven, para quien ese *Combustible mental*, como se titula una de las antologías, puede ser el pasaje artesanal, ambulante e incierto hacia la literatura.

Folklore

> Una vuelta por San Telmo con todos esos turistas buscando el tango y un poco de sol. A Celia la mayoría de los espectáculos callejeros le dan tristeza. A su favor hay que decir que hacía mucho calor, está susceptible por el embarazo y un nene rumano tocando la lambada en un acordeón mugriento puede ser un poco lastimoso. Para redondear, está sentado en una silla de plástico al lado de una pila de bolsas de basura. Cuando un turista se pone en cuclillas y le saca una foto con su cámara digital ya es demasiado. Por Florida se ven cosas peores. Por ejemplo, hay un faquir que se mete un destornillador por la nariz.[17]

Son los 'artistas', que ofertan mercancías simbólicas: en Florida, en la Boca, en Recoleta, en San Telmo, en los barrios turísticos, las estatuas vivientes (una de las disciplinas más antiguas), los malabaristas, alguna cantante clásica, buenos saxos que siguen partituras de jazz moderno, los imitadores, los baladistas, los bailarines de tango que, a su hipotética destreza, le agregan a veces símbolos nacionales como la camiseta de la selección, los bandoneonistas ciegos, los cantores folclóricos, los arpistas, las parejas de viejos desentonados. Esta oferta existe en todas las grandes ciudades del mundo, y en algunas de ellas es bastante sofisticada, producida *in situ* por estudiantes de arte o músicos profesionales sin trabajo. A comienzos del siglo XXI se vieron payasos en los medios de transporte, y hoy todavía sigue recorriendo los trenes suburbanos alguna chica que canta una canción cuya letra casi no se entiende, con la voz exigida hasta el agudo extremo. Van y vienen, duran un par de meses y luego pasan a otra cosa.

Algunos, sin embargo, persisten. Son quienes han encontrado un estilo, un tipo de canción o de instrumento que cumple varios requisitos: tiene un volumen audible en la calle o en el subterráneo, interpela de modo más o menos universal, y quien realiza la actividad posee una especie de carisma estético, de destreza suplementaria evidente o algún patetismo interesante.

Prosperan también los que ofrecen a los turistas, en las mejores calles de la ciudad, una música folklórica globalizada: *Chiquitita*, de ABBA, tocada con sintetizador, sicu y charango por músicos emponchados que venden discos compactos donde el pop internacional se recubre con capas acarameladas de instrumentos considerados locales, sobre la base incesante de máquinas de ritmo.

Argumentos. El escándalo producido por los ambulantes es doble. Por un lado, los comercios establecidos encuentran en ellos una competencia que sus dueños consideran desleal, porque los ambulantes no pagan impuestos; carecen, en su mayoría, de permisos; usan autorizaciones que pertenecen a otros; son parte de una cadena que mueve millones en mercaderías de marcas falsificadas, entradas de contrabando o producto de trabajo esclavo; se comportan en algunos lugares como organizaciones mafiosas. No he podido acceder a cifras que indiquen una estimación de cuánto perderían los comercios establecidos por la competencia de los ambulantes y, por lo tanto, desconozco la base económica de las razones para que sean controlados por los gobiernos urbanos. De estas razones no tomaré en cuenta la que concierne a las organizaciones que distribuyen mercancías falsificadas o de contrabando en los puestos de ambulantes a quienes emplean como mano de obra en negro. Ése es un problema legal que, si recibiera una solución legal, no se convertiría en una cuestión urbana. Si en las grandes ferias bajo techo, semiambulantes o semimontadas, si alrededor de todas las estaciones de ferrocarril y de ómnibus se venden mercancías ilegales, la cuestión, antes que urbana, es penal. Que nadie esté en condiciones de encararla indica que el problema reside en otra parte.

La explosión de los ambulantes, como en muchas ciudades, acompañó el descenso de la ocupación y el ingreso de centenares de miles en la franja de la pobreza. Junto con los ambulantes, aumentaron los cartoneros y los mendigos, los sin casa y los chicos de la calle. Las organizaciones de mayoristas crecieron en estas circunstancias, empleando de manera irregular a quienes no tenían otra alternativa. La clientela de los ambulantes aumentó por razones similares: excepto en los grandes mercados semitechados, como el de La Salada, son los pobres los que compran las peores mercancías, y, en general, quienes se las venden son también pobres.

La cuestión urbana, entonces, sólo puede considerarse una vez que se haya reconocido el carácter previo de esta configuración que es tanto económica como cultural. Las ciudades ricas no tienen ambulantes sino en sus bordes marginales, migratorios, excluidos, mientras que las ciudades pobres los tienen por todas partes, también por razones que tienen que ver con la circulación: los ambulantes se concentran en los núcleos de transporte ferroviario y vial, precisamente donde se concentra la llegada de los pobres para trabajar en la ciudad, para atenderse en sus hospitales, para enfrentar su máquina administrativa central. Pero también están a lo largo de calles más prósperas, donde se desplazan diferentes contingentes sociales, entre ellos, los servidores de los ricos que viven en sus proximidades, y los turistas, gente muy predispuesta a confundir indigencia con color local.

No hay ambulantes frente a los escaparates de Armani, ni frente a los de Vuitton, por razones evidentes, ya que el uso de esas calles de elite es patrullado con el rigor que impone la gran propiedad. Pero en los otros lugares, los ambulantes no buscan sólo las zonas donde hay más pobres, sino otras donde está legitimado comprar CD y DVD falsificados o pilas y baterías de origen incierto. En países como la Argentina, con un altísimo nivel de piratería en el uso de *software*, no puede extrañar que los poseedores de televisión de plasma compren películas muchas veces mal copiadas y peor subtituladas en DVD cuyo equivalente, si fuera un par de zapatillas, no rozarían con la punta de los pies. Si la piratería es legítima para la mayoría de los usuarios, también son legítimos quienes venden sin tener licencias para ocupar las calles. No se puede aceptar lo primero sin convalidar lo segundo. Por eso, es doble e hipócrita el discurso sobre los ambulantes cuando lo emiten quienes piensan que es una ocupación honesta mirar DVD copiados clandestinamente e, incluso, pueden considerarla una revolucionaria actividad anticapitalista que pone los bienes simbólicos gratuitamente al alcance de quien accede a las copias sin licencia. Todos defienden su acceso a las mercancías o su derecho a venderlas en el espacio público.

Los argumentos nos sitúan bien lejos de la cuestión urbana, que sólo puede plantearse una vez que se los ha considerado. En efecto, 1 kilómetro de ambulantes ocupa, en los mejores días, cuando no hay control policial ni inspectores, la calle Florida, es decir, la peatonal inevitable que bordea la *city* y figura en todas las guías turísticas. Empleados y turistas son los dos grandes públicos de la calle que, en una ciudad que ha perdido su centro, ya no es un paseo de las capas medias como lo fue durante buena parte del siglo XX.

Una nube de ambulantes rodea el Centro Cultural Recoleta que, abandonado los fines de semana por los muy ricos que residen en la zona, se ha convertido en paseo de quienes viven en todos los barrios y en capítulo de las guías turísticas. Un domingo a las siete de la tarde, la zona cuyo centro es Pueyrredón y Avenida del Libertador está copada por ocupantes extrabarriales y nadie que pasea por allí vive en La Isla o en Recoleta. No se trata sólo de la ropa ni de la fonética, aunque si se observaran las etiquetas de los *jeans* o de las remeras, habría una lista de marcas los domingos y otra lista, diferente, los lunes. La información más confiable sobre el origen de los extrabarriales son las colas de los colectivos: el 92 llega hasta Flores sur, el 93 pasa por Chacarita en su ruta a Boulogne. Decenas de personas esperan para dejar el barrio que, el lunes, recuperará su ecología aristocrática.

Los domingos esa ecología se altera: llegan los ocupantes temporarios y están ausentes los habitantes propios del lugar que, encerrados en sus departamentos de Posadas o Schiaffino, o visitantes ellos mismos de los clubes de Don Torcuato o Pilar, no se cruzan con los plumajes de quienes llegan de Caballito, Balvanera, Floresta o Villa Luro. Los turistas no forman parte ni del grupo de visitantes de fin de semana ni del grupo de habitantes de los días hábiles. Ellos nadan entre las dos napas probablemente sin percibir del todo lo que sucede en la ecología de la zona. En los colectivos se recrea la atmósfera de los barrios de origen, mientras que, a medida que avanza la noche, algunos intrépidos del lugar salen de sus departamentos y caminan por Pueyrredón para ir a comer a alguna parte.

Durante todo el día ambulantes de distintos oficios y vendedores de artesanías 'oficiales' (con permisos de las autoridades) o extraoficiales, que no se diferencian entre sí, ocupan casi toda la superficie de los caminos que bordean la plaza, sus pendientes, la peatonal que lleva desde las recovas del *Design* hasta el centro cultural y la calle Ortiz que bordea el cementerio hasta Vicente López. Nunca vi que un visitante del fin de semana se molestara por la presencia de los ambulantes. Todos quedan sumergidos en una atmósfera de feria, a la que contribuyen los tarotistas y los adivinos, los músicos y las estatuas vivientes. Las ferias son desordenadas, coloridas, sucias, atropelladas.

Nada permite, como la calle, la multiplicación de elementos. La calle produce, sin deliberación, sin intenciones, el efecto barroco. Lo que carece completamente de cualidades en el interior, en el espacio privado, donde no puede multiplicarse sin caer en lo insensato, en la calle prolifera sin parecer un exceso sino una simple necesidad tolerada por la perspectiva amplia de visión.

La calle permite una acumulación que es inmediatamente vivida como escenografía.

Sobre todo, los turistas la observan como escenografía pintoresca; los locales del barrio oscilan entre la neutralidad y el fastidio, como si la repetición en el tiempo la despojara de su pintoresquismo visual para hacerla simplemente molesta, inútil. Esto sucede con las alfombritas de los ambulantes tanto como con la superposición sonora de los músicos callejeros o la proliferación de estatuas vivientes. Lo que en la ciudad *otra* es un rasgo, en la ciudad propia es un exceso que se convierte en defecto. Posiciones diferentes frente al espacio público: los turistas, sobre todo los europeos, visitaban los piquetes que cortaban calles o puentes, como un atractivo más, que le daba carácter a la ciudad. Los turistas buscan carácter. Los locales sufren el carácter de la ciudad.

2. La ciudad de los pobres

I. OCUPADORES

Hace más de cien años. Jorge Liernur fue el primero en observar un rasgo en las viejas imágenes que muestran la ciudad de Buenos Aires en construcción, durante las décadas que van de 1870 al Centenario. Todos habían pasado por alto que en el centro, cerca de la casa de gobierno, en Recoleta y en casi todos los barrios, crecía temporariamente una "ciudad efímera" de galpones de chapa levantados de un día para el otro, tapias contra las que se apoyaban precarios refugios, casuchas de madera armadas sobre el barro donde dormían los trabajadores recién llegados, los muy pobres, los vagabundos. Buenos Aires avanzó sobre esos enclaves inestables y se volvió ciudad sólida (eso fue el progreso y la modernización). Sin embargo, a partir de la década de 1930, otros enclaves construidos con materiales efímeros, pero cuya forma de habitar se prolonga hasta hoy, convierten lo pasajero en permanente: son las villas miseria dentro de la ciudad, en sus límites administrativos y expandiéndose a medida que crece el Gran Buenos Aires.

Hoy, cuando entre quinientos y mil chicos viven parte o todo su día en las calles porteñas, los cartoneros se instalan al costado de las vías del ferrocarril que transporta su recolección de desechos, y los sin casa cuelgan los bultos con sus pertenencias de los árboles en las plazas o los acomodan debajo de puentes y autopistas, otra ciudad efímera se construye y se destruye casi cotidianamente. Liernur, evocando un período del que nos separa más de un siglo, describe:

> Como "nómades urbanos", los verdaderos vagabundos, deberíamos considerar a aquellos sin residencia fija de ningún tipo. Constituían una masa de seres ambulantes por la ciudad, por sus calles y lugares públicos. Eran niños o viejos, mujeres y hombres, sanos o enfermos, y se cobijaban en los umbrales de las casas, los terrenos baldíos, los lugares de tránsito. Quizá podrían homologarse a los *homeless* o a los "chicos de la calle" de nuestro tiempo. Las ilustraciones de los magazines los muestran durante el día usando la ciudad como espacio de trabajo o de ocio… Las noches los obligaban a buscar algún refugio donde descansar y no morir en invierno de frío.[18]

Ciudad, definición. Dícese del lugar donde duermen los pobres a la intemperie o bajo cubiertas precarias.[19]

Todas las noches preparan su dormitorio en la ochava de un edificio público, que no funciona ya como entrada a ninguna parte. Es un espacio de varios metros cuadrados y, por lo tanto, bastante amplio como para que dos personas puedan tenderse a dormir. Salvo que llueva del sur, netamente del sur y con viento, el agua no salpica sino los cincuenta centímetros delanteros del refugio. Como la ochava fue una entrada importante, se accede a ella por tres escalones que contribuyen a la sensación de aislamiento y permiten trazar una especie de umbral imaginario entre los que la ocupan y la calle.

La cuadra es singularmente activa al comienzo de la noche; ofrece bastante material a los cartoneros, y las veredas de dos estacionamientos que cierran al atardecer sirven como playones temporarios para la basura que ellos clasifican. Los de la ochava no se mezclan con la media docena de adultos y chicos cartoneros que se mueven veloces y concentrados, en silencio. Ellos no son trabajadores de la calle sino ocupantes fijos; sus colchones, mantas y bolsas con harapos permanecen allí enrollados durante el día; en cuanto la luz ya no es más la sombra grisácea del atardecer, se preparan para pasar la noche, despiertos pero ya acostados, cubiertos por capas de frazadas y plásticos. Generalmente tienen algún tetrabrik y cigarrillos. Otros viven, con un régimen parecido, en una plaza cercana, en cuyos árboles dejan los colchones envueltos en plástico mientras andan por la ciudad en busca de oportunidades o descuidos ajenos: limosnas, sobras, comida vieja, puchos. Estos dormitorios a la intemperie varían de lugar; cuando sus ocupantes son desalojados, se corren algunas cuadras, simulan una retirada, pero vuelven a instalarse. Son resistentes por necesidad.

Pero no todos los que recolectan sobras duermen al aire libre. Y no todos los que duermen al aire libre fueron dejados allí por las oleadas de la crisis económica de principios de este siglo. En la ciudad se entretejen vidas diferentes: los recientemente desalojados, que no fueron capturados por la red de ningún plan social y terminaron debajo de la autopista; los hombres que cayeron más que sus propias familias, en las que las mujeres pudieron salvarse y seguir a flote y ellos quedaron como restos de una marejada; los locos que, una vez que comenzaron a caer, ya no tienen una nueva oportunidad ni la tendrán en el mejor de los mundos. Durante muchos meses, un hombre había optado por vivir sobre una gran avenida, haciendo de esa opción una especie de manifiesto. Reclinado sobre su colchón, envuelto en mantas, a su lado había puesto un cartel donde, además de protestar por los salarios docentes, se declaraba ex maestro, dejando que los que pasaban imaginaran las razones del supuesto o real abandono de una profesión que, si no es lucrativa, por lo menos es vista como respetable. Al costado, sobre un cajón, un tablero de ajedrez con una partida comenzada reforzaba la idea que deseaba transmitir sobre sí mismo. Algunas veces encontraba con quien jugar, cansinamente, mientras sostenía una conversación reiterada de temas circulares. Hoy, en umbrales próximos al del "ex maestro", un hombre escribe todo el día: de perfil, apoyada la espalda contra la pared, sin levantar la vista, sin pedir nada, abstraído o ausente, escribe.

En todas las ciudades del mundo hay personajes como el "ex maestro".

En las ciudades donde los pobres abundan, como Buenos Aires, es difícil encasillarlos como singularidades extravagantes y aislarlos de la miseria que lanzó a miles a la calle en los últimos años. Un par de borrachitos viven, en el indócil invierno berlinés, sobre un puente justo frente al teatro del Berliner Ensemble, donde trabajó Bertolt Brecht. En todos las ciudades hay hombres y mujeres que fueron depositados entre los despojos.

Sin embargo, aunque casos así ocurran en Buenos Aires (en años de abundancia también había linyeras en el parque Lezama), es difícil que hoy sean mirados como los berlineses miran a sus borrachitos vecinos del teatro de Brecht. Hubo un momento en que esas figuras dejaron de ser marginales extravagantes para mezclarse con los expulsados del mundo del trabajo; meses en que los cartoneros se convirtieron en la multitud laboriosa del anochecer, y los chicos de la calle dejaron de ser sólo casos de droga, abandono o extrema rebeldía.

En algunas ciudades, y en Buenos Aires desde mediados de los años noventa cada vez más, todos forman parte de un paisaje acostumbrado, esperable, normal. Sorprendería no verlos. De mañana, varios chicos duermen en las puertas todavía cerradas de un gran banco, sobre la avenida, a veinte metros de un multicine que tiene dos grandes vidrieras frente a las que se estacionan las adolescentes de capas medias para deliberar sobre adquisiciones futuras o planificar viajes de fin de curso. Están amontonados, como si tuvieran frío, las piernas de uno sobre la espalda de otro, las cabezas tapadas con sus camperas, profundamente ajenos al ruido, ausentes de este mundo que, por otra parte, ya los ha declarado ausentes. Otros, mayores, duermen sobre colchones, en los zaguanes de algún local desocupado, rodeados de trapos y bolsas. Se quedan allí algunas semanas, hasta que el local vuelva a ocuparse.

Cerca de los que duermen en plena mañana y de los adolescentes que discurren en otro mundo, dos chicas piden plata a los autos detenidos en el semáforo; lo hacen sin mucha concentración ni convicción. Son delgadas y graciosas, vestidas con las sobras que todavía conservan sus volados y alforzas. Permanecen en la esquina desde el mediodía hasta las once de la noche. Dentro de tres o cuatro años llegarán a la edad de la prostitución infantil, un destino que cuelga sobre las dos cabezas de pelo lacio y claro.

Otros chicos desfilan dieciséis horas por los vagones del subterráneo, cada uno con su estilo. La nena, aleccionada por algún adulto, que trata de estrecharle la mano a cada pasajero; el enfermo de sida que pasea a su hijita, como si fuera la prueba viviente de la familia que debe mantener, vive bajo la autopista y, por su condición, nadie le da trabajo, aunque recibe todos los remedios del hospital público y los transporta en una bolsa sucia que agita sobre su cabeza con el mismo gesto mecanizado con el que empuja a la chica; o ese chico flaco, alto, de una elegancia desgarbada, *cool*, muy a la moda, vestido de marrón, con pantalones llenos de manchas y un buzo deshilachado, que trata de conseguir unas monedas pero se coloca en una especie de distancia indiferente, como si conseguirlas no le importara, y por eso, su mirada perdida traza una diagonal entre las cabezas de los pasajeros y el piso del vagón, mientras él atraviesa el espacio sin tropezar con nadie, sin evitar a nadie, como si caminara en el vacío, solo, desatendiendo todo lo que eventualmente lo rodea; o el otro, con su mazo de figuritas de colores, una cantidad mínima, veinte o treinta, los bordes arqueados por el calor de la palma que se transmite al cartón y lo humedece, mientras extiende el brazo y lo coloca a la altura de las manos de los pasajeros, que no toman las figuritas. Esos chicos se mueven dando por sentado que fracasarán en cada uno de sus intentos y que deben pasar rápidamente al próximo, que también será un fracaso. Encapsulados y solitarios, avanzan por el vagón cumpliendo un recorrido en línea recta del que obtendrán pocos resultados. Ponen demasiada distancia tanto respecto de los pasajeros como de la tarea que realizan sin interés evidente, como si se tratara de una acción encaminada a ningún fin, un movimiento mecánico sin objetivo; no emplean una táctica para convencer a los demás de que, entre todos los chicos que andan por el subterráneo, a cada uno de ellos hay que darle algo. Avanzan sin calcular, sin representar ni exagerar, callados. Su gracia inconsciente se origina en que ya no vigilan su forma de pedir limosna; en su actual estado, ha desaparecido todo cálculo, todo intento de persuadir, de emocionar, de dar lástima. Se mueven como quien no tiene apuro ni finalidad. Se valen por sí mismos. Tienen 12 o quizá 13 años; dentro de poco ya no repartirán figuritas sin éxito por los vagones de un tren. Dentro de poco sus vidas darán un salto, como quien pasa de la primaria a la secundaria y cambia durante el último verano de la infancia; adolescentes, los chicos de las figuritas ganarán una agresividad que los volverá más visibles. Entrarán en el mundo condenado y sórdido de los sospechosos.

Todavía le faltan algunos años para ser sospechoso al chico ensimismado frente al correo central de Buenos Aires, la mirada absorta en dirección a un río y un Puerto Madero que no se ven desde allí, traspasado por el ruido de los motores y cercado por el estruendo de decenas de colectivos. Allí mismo, cerca de los empleados que salieron a almorzar, una mujer juega con su hija que está aprendiendo a caminar.

La chica descalza, vestida sólo con un pañal, da pasitos inseguros sobre la superficie irregular del césped. La mujer y su hija ríen de cara al sol y son seguramente las únicas que no tienen allí un horario; la tarde se extiende por delante y el lugar estruendoso rodea a la hija y su madre como si, en el círculo que ellas describen, se hubiera amortiguado el barullo de la *city* porteña. Nada las apura. La chica camina unos metros y regresa hacia donde la madre la espera, sentada, riendo, con los brazos extendidos. Cae, se levanta con una gracia torpe y vuelve a alejarse. La chica está absorbida por el interés de aquello nuevo que está haciendo. Aprende a caminar y su cuerpo, su madre, el espacio del mundo rotan mostrándole las diferencias de textura, de distancia, de luz. La chica prueba ir un poco más lejos, se atreve unos pasos en otra dirección, se da vuelta y su madre la saluda. La chica intenta correr, cae, se levanta, gatea. El mundo, para ella, está gobernado por una seguridad sólida y dulce. La escena sería de una sentimentalidad perfecta, casi demasiado emblemática, si no fuera porque la mujer y su hija están en el centro de un círculo formado por sus pertenencias.

Viven en la calle. El colchón enrollado está cubierto por un mantel de plástico, al costado de un cajón de madera con envases y bolsas. Sobre el pasto se esparcen algunas ropas de la chica, probablemente secándose. La domesticidad del juego entre madre e hija sucede como si nadie pudiera verlo. Sin embargo, el conflicto entre domesticidad y exposición pública hace que la escena sea difícil de tolerar una vez percibida la contradicción que la desgarra. Las protagonistas parecen estar al margen de la contradicción, como si su felicidad las protegiera.

Pero enseguida o un poco más tarde la madre volverá a percibir que ella y su hija viven en la calle, a cincuenta metros del correo central; cuando, oscurecida por el atardecer, esa zona se vuelva un paraje más solitario, y las hileras de combis que transportan a los empleados de la *city* hacia los *country clubs* hayan desaparecido, deberá darle de comer a su hija. Dentro de cuatro años, si nada cambia, la chica que hoy aprende a caminar estará repartiendo estampitas, *stickers* o hebillitas; dentro de diez años tendrá su barrita de chicos de la calle, su grupo de aspiradores de pegamento y fumadores de crack; dentro de doce años, a lo mejor, será explotada sexualmente. ¿Cuáles son sus oportunidades? Hoy titubea con los pies desnudos sobre el pasto.

En la otra punta de la ciudad tres personas forman un grupo tradicional, representado por la pintura, la fotografía y los ideales demográficos. Sentado en una silla, un poco retirado del grupo, el joven padre mira a uno de sus hijos, que está durmiendo sobre un colchón. La joven madre, en un banquito más bajo, le hace fiestas a otro chico que, desde su cochecito, le responde moviendo las manos y riendo. Ella parece feliz, entretenida, despreocupada; el padre, pensativo, no participa en el juego. El mayor de los hijos tendrá unos 3 años, dos más que el menor. Todo es apacible y diríase que completamente normal. Excepto que están viviendo en la calle, a metros de la vía del tren, pero separados de ella por un paredón. Primero apilaron colchones y trapos, que quedaron prolijamente cubiertos con cartones y lonas. Más tarde armaron, contra una pared lateral, las dos caras de un albergue, cuya entrada está protegida por una cortina hecha con jirones de plástico. Desde hace un tiempo viven y trabajan allí. El colchón sobre el que duerme uno de los chicos está fuera del refugio de cartones, como si ocupara el jardincito delantero de una casa normal. No los rodea el desorden, sino que sus pertenencias están guardadas en cajas, en un carrito con ruedas, en atados y bultos. Como si fueran acampantes turísticos, procuran que el campamento esté lo más ordenado posible para que no se pierda nada, para que nada se ensucie más allá de lo inevitable. Los que pasan dudan entre mirar o no mirar. Si miran, se sienten intrusos; si no miran, temen ser percibidos como gente que reprueba sin entender.

Si se tomara una foto y se los recortara en ella, dejando fuera la calle y las vías, se creería que son una familia de un barrio pobre que, por el calor, ha tendido un colchón afuera; se diría que el padre ha llegado de trabajar, que su inmovilidad es producto del cansancio, y que poco después entrará a dormir en su casa; que la madre se ha quedado allí con los chicos y que trata de divertir al que no duerme para que todo transcurra del modo más apacible. Hace algunas décadas, esta familia hubiera vivido en una de esas villas miseria que, comparadas con las que hoy existen, se parecían más a un barrio de trabajadores pobres, donde era posible entrar y salir sin prevenciones de casillas precarias en las que, de todos modos, se mencionaba el plan de una mudanza a un terreno comprado en alguna parte (loteos inundables y sin servicios, que se fueron convirtiendo en barrios). En las paredes de la casilla podía colgar un retrato de casamiento, la novia con vestido blanco. Nadie dudaba de mandar a los chicos a la escuela.

De la hipotética foto que excluye el entorno se diría que muestra la imagen tradicional de una familia cuya vida transcurre en la pobreza, pero en una pobreza 'normal'. Se trata, en cambio, de habitantes de la calle, que viven debajo de cartones, entre los montones de basura, producto de su trabajo cotidiano. Son lo imprevisto y lo no deseado de la ciudad, lo que se quiere borrar, alejar, desalojar, transferir, transportar, volver invisible.

La mujer que juega con su chico parece momentáneamente feliz; sonríe como si la calle hubiera desaparecido. El hombre que la mira parece momentáneamente tranquilo y estable, como si su vida lo fuera. Ninguno de los dos tiene mucho más de 20 años. Es decir que han nacido en la segunda mitad de los años ochenta, que crecieron durante los años noventa, que probablemente empezaron a cartonear en el mismo momento en que millones de argentinos creyeron que era posible gastar dólares baratos en Miami sin que eso arrojara consecuencias sobre la economía del Gran Buenos Aires que desborda sobre la ciudad.

Probablemente ninguno de los dos ha terminado el primario y ninguno de los dos ha estado nunca empleado de manera estable, con recibo y obra social. Probablemente ninguno de los dos sepa cómo reclamar sus derechos, porque eso depende de un entrenamiento: hasta para exigir lo más rudimentario es preciso saber. Todo lo que podrían hacer es resistirse a que los saquen de allí. Nacieron en un país que ya los había descontado de la nómina.

Viven en un mundo que no les permite sino los tiempos cortos: de hoy para mañana, un rato de sol, esperar que no se largue la tormenta, confiar en que no los corran de donde han apoyado sus dos paredes de cartón, aunque de allí también los van a sacar y ellos lo saben. Mudanza al siguiente paredón ferroviario o, con más suerte, vivienda debajo de un puente de ferrocarril, al costado de un parque que proporciona las ramas con las que el arco del puente se convierte en un muro vivo que separa el exterior del 'bajo techo' donde están las ropas colgadas, las sillas y los baldes para acarrear el agua.[20]

En los tiempos cortos no hay posibilidad de acumular nada, porque toda previsión necesita de un tiempo extenso y de un aprendizaje que enseñe a navegar ese tiempo, difiriendo las necesidades, eligiendo a cuál se responde primero. Estas familias son pura necesidad; no pueden optar por esto y esperar para lograr lo otro o lo de más allá, como sucede en el caso de quienes tienen un relativo dominio de su tiempo (que significa tener un control sobre la propia vida). Estas familias no pueden prever, ni planificar, ni proyectar. Sus vidas se sintetizan en un esfuerzo cíclico y repetido de supervivencia que les consume todo el presente y les consumirá el futuro.

La madre juega con su hijo y ríe. El chico la mira y también ríe. Incluso en la humillación del despojo hay una vitalidad en esa escena arquetípica, como si el puente o el terraplén del ferrocarril y los montones de basura fueran un paisaje adecuado a la perturbadora intimidad pública de la escena.

Los cartoneros, hasta que no los echan, acampan cerca de donde se produce la basura o donde pueden acopiarla. También frecuentan los barrios relativamente prósperos porque allí se tiran muchas cosas valiosas para la reventa, ya que esos barrios no están sometidos a una economía de la escasez, sino que, por el contrario, resurgieron a medida que resurgió el consumo. Se puede encontrar un mueble de cocina entero, las planchas de aglomerado de varios estantes, chapas, un buzo, zapatillas viejas, varillas de metal: la basura de las capas medias que cae hacia los pobres y, en un pase de magia de la miseria, deja de ser basura. Los objetos desechables para una fracción social tienen valor para otra, como si en el mismo acto de tirarlos y luego de recolectarlos se pusiera en marcha un proceso marginal de generación de valor. La chapa grasienta de una cocina, cuyo ex dueño mira con asco pensando cómo pudo tolerarla hasta hace un momento en su casa, se transmuta en un peso metálico que tiene valor de mercado en la reventa de basura reciclable.

Los pobres son el eslabón más débil del negocio de la basura, es decir, de todo aquello que ha dejado de tener valor para quienes no son pobres ni son parte de ese negocio en sus eslabones intermedios o finales. Lo que yo considero basura es plata para ese chico que está en la vereda de mi casa. En esta diferencia respecto del valor se sustenta la economía de la miseria.

II. ESCENARIOS

Los años ochenta

> Yo vivía en San Telmo durante los últimos años de la dictadura y me quedó un recuerdo muy intenso de las transformaciones de Cacciatore, de los ensanches de las avenidas y la construcción de la autopista 25 de Mayo. Innumerables familias quedaban viviendo en la calle por las demoliciones. Según me explicaron, fueron de los más atroces y compulsivos desalojos de la ciudad y, más de una vez, mis papás subieron chicos a dormir en nuestro departamento, con el acuerdo de sus padres, para que no durmieran en la entrada del edificio. Una muestra muy concreta de esto es un edificio que está en Garay casi esquina Santiago del Estero que, hasta hace diez años, se lo veía con la fachada cortada, como si le hubieran sacado una rebanada... Conocí el edificio por dentro –vivía una compañera de grado– y permaneció

así cortado porque los vecinos, muy pobres, no lograron juntar la plata para tapar el agujero. Concretamente, si bajabas del ascensor y salías para el lado equivocado (lo que serían los departamentos que antes daban a la calle), saltabas al vacío, porque las aberturas habían quedado sin tapar.[21]

En el aire. Sergio Chejfec escribió:

> Fue hasta el dormitorio, donde volvió a hojear los periódicos. Recostado, leyó una nota que no había advertido a pesar de la extensa lectura matutina. La noticia era ambigua, no porque fuera confusa sino porque consistía en una noticia a medias; era un proceso, no algo que hubiera sucedido ayer. El título decía "Ciudades elevadas y ocultas". La foto consistía en una toma hecha desde un avión, [...] y se veía una extensión indefinida de manzanas con rasgos más o menos semejantes, encima de cuyas casas y edificios había otras casas precarias hechas de tablas, chapas o ladrillos sin revocar. El subtítulo de la nota aclaraba "La tugurización de las azoteas". Más abajo explicaba que muchos habitantes, ya que se veían obligados a residir en viviendas precarias porque carecían de medios para hacerlo en otras no-precarias, preferían vivir en ranchos levantados en las azoteas de las casas de la ciudad en lugar de construírselos en la Periferia –en zonas en donde incluso no resultaba exagerado suponer que acaso al final del transcurso de una vida acabarían siendo los dueños de sus terrenos–, dado que evitaban de esta manera gastar en transporte el poco dinero que poseían y perder viajando el escaso tiempo que les quedaba. Aparte estaba la cuestión de los servicios en general, acotaba la información: la luz, el agua [...] y el transporte constituían mejoras inciertas en la Periferia. Sin contar con el problema de la seguridad, hipotéticamente más grave cuanto más hacia las afueras de la ciudad se viviera. Esto podía no ser así, decía el periódico, pero en todo caso era lo que la población suponía.

> No obstante, a pesar de sus naturales deseos de ascenso social, estos empobrecidos inquilinos de las alturas importaban a las zonas "Articuladas" cierto grado de marginalidad e imponían en el "Entorno urbano" señales más o menos evidentes de deterioro.[22]

Chejfec entrecruza las imágenes en una doble mirada, retrospectiva y prospectiva: sobre la ciudad real latinoamericana, a la que Buenos Aires se parece en algunos barrios, y sobre la ciudad 'teórica' de *Radiografía de la pampa* de Martínez Estrada, que creció por agregación caótica. Las villas miseria en altura muestran las napas superpuestas de diferentes intervenciones temporales; los pobres apilan sus viviendas donde pueden, donde los llevan o allí donde los arrojan. Esos tugurios o conventillos elevados forman un doble piso de la ciudad que crece hacia arriba, como en los cerros de Caracas o los morros de Río de Janeiro. Mirar hacia arriba no significa sólo percibir las marcas de un progreso verticalizante, sino la ironía de una superposición de capas de construcciones sin cualidades. 'Arriba' no designa el rascacielos moderno ni la torre actual, sino la superposición de desechos.

En los años treinta, más precisamente en 1933, Martínez Estrada vituperó el progreso de Buenos Aires, leyéndolo como acumulación de barro pampeano que, como materia original, no es simplemente un origen sino un destino. La ciudad no crece hacia arriba en un único gesto proyectual, sino que apila agregados, que persisten como manifestación de capas geológicas. El suelo (el solar) deja de tener contacto con la tierra, y los techos son el suelo de cada nueva capa superpuesta:

> Sobre las construcciones de un piso, que formaron la ciudad anterior, parece haber comenzado a edificarse otra ciudad en los otros pisos. Esos pisos que sobresalen acá y allá sobre el nivel medio son como las casas de planta baja que antes se alzaban sobre el nivel del terreno, que es la más vieja planta de Buenos Aires. Los terrenos baldíos de ayer son las casas de un piso ahora. Al principio se construía sobre la tierra, a la izquierda o

> a la derecha, esporádicamente; hoy se utiliza el primer piso como terreno, y las casas de un piso ya son los terrenos baldíos de las casas de dos o más. Por eso Buenos Aires tiene la estructura de la pampa; la llanura sobre la que va superponiéndose como la arena y el loess otra llanura; y después otra".[23]

Chejfec, en los años noventa, registra (y prevé) esa misma acumulación que ahora ya nadie puede imaginar como progreso, porque es pauperización periférica. Para describir la ciudad de *El aire*, elige fragmentos urbanos encontrados en otras ciudades del continente (por ejemplo, en Caracas, donde Chejfec vivía en ese momento):

> [...] ahora se distinguía una organización precaria, muchas veces titilante por efecto del viento, de focos y lamparitas. Eran los ranchos de la azotea, a los cuales un cable que subía por fuera de los edificios proveía de luz. Barroso observaba trabajar a las mujeres, infatigables también de noche limpiando la terraza, haciendo la comida, atendiendo a los niños y hablando de cuando en cuando con el esposo, que generalmente miraba con ojos perdidos el vacío, con actitud apocada, fumando, con el brazo apoyado contra el vértice de la mesa, también precaria, que antes de irse a dormir levantarían todos juntos por los costados para entrarla a la casa.

La villa miseria, en lugar de ser evitada o recorrida a pie, es vista desde lo alto, de un techo al otro; esos tugurios están en el corazón de la ciudad, sobre las casas que antes no eran miserables, pero que hoy forman parte del centro viejo: demolición, ruinas, autoconstrucción realizada sin los saberes del albañil o "construcción profesional de viviendas precarias". Las materias mismas de la ciudad han cambiado.[24] La ciudad criolla fue de barro; la ciudad moderna fue de ladrillo cocido y cemento, la ciudad tugurizada es de chapa. Para Martínez Estrada, el barro prevaleció siempre por sobre los materiales modernos; para Chejfec, el barro volvió a ocupar el espacio donde antes se construía con cemento y hierro. Y, donde hay demoliciones, regresa el campo:

> Esos baldíos indefinidos representaban una intromisión espontánea del campo en la ciudad, la cual parecía así rendir un doloroso tributo a su calidad originaria. Consistía en una regresión pura: la ciudad se despoblaba, dejaría de ser una ciudad, y nada se hacía con los descampados que de un día para otro brigadas de topadoras despejaban: se pampeanizaban instantáneamente. [...] De manera literal, el campo avanzaba sobre Buenos Aires. De este modo, había leído en algún lado, con la remisión de la ciudad, el espacio, que era una categoría fundamental para la subsistencia de una memoria colectiva, se estaba desvaneciendo en el medio del aire. Y no solamente porque al demolerse las edificaciones retornara la naturaleza, sino también porque la misma memoria individual de los habitantes –fuesen o no pobladores– era incapaz de reconocer la ciudad.

En esta ciudad ya son visibles las transformaciones que se impusieron durante los años noventa y el comienzo de este siglo. Chejfec las pone en relación con la tipicidad de la pobreza urbana en América Latina, con la cual Buenos Aires no se relacionaba antes, porque ni la imaginación ni el sentido común la concebían como ciudad americana, ni siquiera cuando se descubrían sus aspectos más miserables.

Terrazas. En la esquina de Carabobo y Castañares hay una casa de cuatro pisos; al principio fue sólo una planta baja que luego creció hacia arriba con capas de diferentes dimensiones horizontales y verticales: la casa se hace más angosta a medida que asciende, pero no de modo regular, sino torciéndose o, mejor dicho, evitando la coincidencia aplomada de sus pisos y techos, pero también retrocediendo respecto de la línea de edificación de la planta baja, como si, en medio del desorden de planos, estuviera, a su modo, ajustándose a una ordenanza municipal cubista.

La casa tampoco es afín a las calles que se cruzan desde la avenida Eva Perón por Carabobo. Podría estar en la circunferencia de la Villa de Retiro o de la 1-11-14 (la más grande de la ciudad) o en la mejor zona de un barrio-villa consolidado. Los tres pisos construidos son irregulares, a medias revocados, con ventanas sin marcos y terrazas sin barandas pero con macetas y ropa tendida, parrillas de hierro, banquitos y reposeras. Todo exhibe, crudamente, con el aire confiado de lo natural en expansión, una especie de precaria monstruosidad destinada a permanecer, ya que la construcción es de material y está allí para quedarse.

Lo precario es efecto de su carácter inconcluso, pero no de una inconclusión que mañana dejará de serlo, sino de una *inconclusión definitiva*. Así impresionan todas las construcciones precarias, en chapa, madera, cartón, plástico. Pero cuando lo inconcluso es de ladrillo, la cualidad de lo no terminado contradice las propiedades de las materias sólidas que entran en su composición. Recuerdo una frase: "las casas de los pobres siempre están construyéndose" (palabras de un militante político para explicar su ausencia en las movilizaciones). Es cierto: no hay final de obra, aunque después de techar se haga un asado, se plante una antena o un trapo rojo de la buena suerte en la cruz del techo.

La casa de pisos de la avenida Castañares sostiene su incompletitud como rasgo estructural. La planta baja, que es lo único terminado, pierde toda presencia frente al avance en alto de las construcciones inconclusas pero habitadas, como si fuera sólo un basamento que debe pasar desapercibido, que no tiene prerrogativas para ser ostensible o enturbiar la esencia de lo incompleto que se manifiesta en los pisos superiores. Arriba del último piso, en el techo, bolsas de cemento anuncian que la casa todavía no ha parado de crecer.

Vendrá otro piso, otro techo-terraza donde se tenderá más ropa lavada (sábanas, sábanas) y se acumularán marcos de puertas y ventanas, cosas útiles para futuras ampliaciones, cosas que también indican que nada puede ser tomado como definitivo.

En la planta baja de la casa incompleta hay un negocio de zapatillas y un quiosco donde se vende comida. Esos dos locales no comparten la cualidad esencial de la casa, porque están terminados y funcionando, como si sobre el suelo la casa perdiera sus rasgos más representativos que sólo existen en altura.

El uso de un tiempo de construcción virtualmente ilimitado se articula con la idea de medios siempre insuficientes, ya se trate de medios técnicos, saberes faltantes o recursos materiales escasos. Y también de necesidades siempre en expansión. Nunca alcanza nada y por eso la casa siempre debe ser potencialmente ampliable. Lejos de que la falta de recursos obligue a terminarla, ella conduce al contradictorio estado permanente de transición entre un piso que no se acaba y el siguiente que ya está comenzando.

Ventana en San Telmo. Desde un balcón sobre Carlos Calvo cerca de la esquina de Tacuarí, se ve la calle y los techos, objetos en desuso, una casa tomada. El paisaje de la basura que se amontona como en un *collage*, dispuesto a ofrecer cantidad de *ready-mades* sobre los techos y, metros más abajo, el ajetreo en la vereda de la casa tomada, donde, más que la visualidad, la música define el paisaje. Ricardo Romero escribe una 'historia de pensión' (como las que conoció la literatura argentina de los años treinta, pero ésta transcurre en el fin de siglo; por lo tanto, es más áspera, aunque siga siendo un poco sentimental, y más violenta, lo cual es inevitable).[25]

¿Representación realista? ¿Excepcionalidad de una casa tomada, aunque abunden las casas tomadas en Buenos Aires? ¿Ruptura literaria con la representación bienpensante propia de los cientistas sociales, donde pobres, delincuentes, ocupadores, todos, todos, tienen sus razones equivalentes, indistinguibles, monótonas? La ciudad del pequeño delito: esos adolescentes salen a robar, generalmente a otros barrios. La ventana desde la que se los mira es la de una pensión cuya descripción podría juzgarse miserabilista, pero no lo es. La vitalidad sonora de los adolescentes y el desparpajo con el que se ocupa el espacio de la calle tienen poco de mirada populista conmiserativa. En la potencia del sonido hay un dato que no estaba en la literatura de los años veinte y treinta. El sonido no puede abolirse: está más presente que cualquier otro dato, es lo *real irreductible*, el medio en que se mueven los de la casa tomada. Sobre ellos, las basuras de los techos son elementos de una escenografía que sólo percibe el que se pone a mirar, el escritor: ve abajo y arriba, tiene una doble óptica para esos dobles planos.

Amontonamiento de cosas y personas: en los techos y las veredas, así como en la pensión, las distancias son mínimas, los personajes se chocan (o se ignoran, que es la reacción defensiva frente al choque siempre inminente) y, de modo inevitable, se escuchan. Imposible dejar de escucharse en el espacio 'público' de la vereda donde la música a todo volumen reduce las dimensiones. Para quien pasa por allí, el lugar está capturado por un grupo, territorio de los 'otros' donde hay que manejarse con cuidado. Edward Hall afirmaba que la proximidad o el hacinamiento son formas sociales de percibir la relación entre los cuerpos y el espacio que los separa o los pone en contacto, amigables u hostiles. Como el olor, la música marca límites, es decir, convierte el espacio supuestamente público en uno regulado por un grupo frente a otros individuos. El barrio es un conjunto de territorios, con leyes de fuerza y simbolismos. Escribe Romero:

> Todo lo demás era un horizonte de terrazas en las que se acumulaban todo tipo de muebles en desuso, cajones de botellas, bañaderas y viejas antenas de televisión. Ese era mi paisaje.

> [...]
> Además del paisaje de terrazas, sobre la calle, podía ver constantemente a algunos de los habitantes de la casa tomada más cercana a la pensión, un grupo de adolescentes comandados por un gordo descomunal. Estaban casi todo el día en la calle, escuchando Los Redondos y cumbia villera a todo volumen; gritaban, reían y tomaban cerveza y formaban parte del espectáculo de mi compasión. Lo que yo llamaba "estado de ánimo topacio": sentía lástima por mí, creyendo que la sentía por todos.

Pasolini. "Correvo nel crepuscolo fangoso"

> Crepúsculo fangoso,
> detrás de grúas torcidas, de andamios
> mudos, por barrios impregnados
> con el olor de herrumbre y de harapos
> asoleados, que dentro de una costra
> de tierra, entre casuchas de lata,
> desaguaderos, alzaban sus paredes
> nuevas y ya arruinadas contra un fondo
> de lívida ciudad.
> Sobre el asfalto
> derruido, entre penachos de pastizales acres
> de excrementos y baldíos de barro
> negro –que la lluvia excavaba
> con tibiezas infectas–, las enormes
> filas de ciclistas, los quejumbrosos
> camiones de madera se perdían
> cada tanto, por centros de suburbios
> donde ya algún bar mostraba círculos
> de blancas luces, y bajo la lisa
> pared de una iglesia se desperezaban,
> viciosos, los muchachos.
> En torno a rascacielos
> populares, ya viejos, los marchitos

huertos y fábricas erizadas de grúas
se estancaban en un febril silencio;
pero un poco más allá del centro iluminado,
a un costado de aquel silencio, azul
una calle asfaltada parecía
inmersa en una vida sin memoria. Aunque raros,
brillaban los focos de una agria luz
y las ventanas todavía abiertas,
blancas de telas tendidas, palpitaban
íntimas de voces. En los umbrales
estaban las ancianas con sus ropas
casi de fiesta, y límpidos, bromeaban
abrazados los muchachos, con hembras
más precoces que ellos.
Todo era humano
en esa calle, y allí estaban apiñados
los hombres en ventanas y veredas,
con sus harapos, con sus luces...

Parecía que incluso en su más íntima
y miserable habitación, el hombre
sólo acampara allí, y de otra raza fuera,
aferrado a su barrio bajo un viento
pegajoso y polvoriento y no fuera
estado el suyo, sino una confusa
pausa.
Y, sin embargo, quien pasaba y miraba
sin la urgente necesidad inocente
buscaba, extraño, una comunión,
al menos en la fiesta del pasar y mirar.
Sólo la vida alrededor: pero en ese mundo
muerto, para él, había un presagio de Realidad.[26]

Primera persona, evidente en italiano (*correvo, io correvo*) y no en castellano (corría yo, corría él). Quien corre en la calle ve y escribe. Se mueve en un atardecer cuyos colores han sido dominados por el barro, lo fangoso del suburbio; el barro *hace* suburbio porque las materias primitivas siempre vuelven a surgir: lo reprimido de la tierra penetra y rompe el asfalto, el polvo se convierte en la cobertura de las casas. El suburbio es el lugar donde lo urbano no se estabiliza, el límite interior jaqueado siempre por lo no urbano, que no es campo, sino roña, deterioro, envilecimiento; en el suburbio los olores y las materias se impregnan y se mezclan, los huertos que subsisten se marchitan, los edificios siempre están a punto de envejecer prematuramente.

El suburbio es una disposición particular de las materias elementales: agua, tierra, metales. Todas sufren procesos que las carcomen o cambian su estado: el agua se pudre y se vuelve cristal, arcilla o gelatina, sopa inmunda de bichos nacientes; la tierra se mezcla con el agua para ablandarse y moldearse; a los metales los corroe la intemperie y son atacados por la humedad y los ácidos. En el suburbio se desordenan los procesos naturales en un medio que no es naturaleza. Por eso hay "huertos marchitos". Pasolini ve la infección del suburbio, tibiezas infectas.

La oscuridad del barro y las ruinas de un paisaje industrial, compuesto por hierros y tirantes, piezas que perdieron la rectitud que las hacía máquinas cuando no exhalaban el "*odore del ferro*" sobre los barrios también metálicos, hechos de lata, recubiertos por una lámina dura, entre canales donde corre el agua servida, y donde, sin embargo, se siguen adosando paredes que ya son viejas cuando se las levanta contra el fondo de la "lívida ciudad". La herrumbre es el destino del hierro en el suburbio, como si el metal fuera más débil porque está allí, y perdiera cualidades o sólo conservara aquellas que provocan su siempre inminente deterioro.

Corría (*correvo*), como corren sobre la ruta los ciclistas y los camiones, sobre el asfalto mellado, pisando los excrementos entre los pastos, el barro podrido y cálido por la podredumbre, en medio del baldío ennegrecido como el crepúsculo. Excrementos, sobrantes, es lo que sueltan los cuerpos en los descampados: perros, chicos inclinados sobre la hierba, que se seca por la acidez de los líquidos y los detritos.

Pero, de vez en cuando, hay bares que proyectan luces redondas sobre la calle y muchachos ociosos, como Ninetto, apoyados contra la pared de una iglesia, mostrando los músculos al estirarse con sensualidad o pereza; llevan pantalones oscuros y camisetas blancas, tienen pelos ondulados y relucientes, perfiles de medallas antiguas. Todavía no parecen amenazadores, sólo *viziosi*, desocupados, *vitelloni*, personajes del neorrealismo, *ragazzi dei rioni*, *meridionali*.

Pasan los camiones por suburbios que, de vez en cuando, tienen un centro: su iglesia, sus bares, las fábricas detenidas por la noche, los grandes edificios de viviendas para pobres, que envejecieron, adonde llegan los inmigrantes de *Rocco y sus hermanos*. Después de los bares, una calle que en su inmanencia sin memoria parece de pueblo, con focos de luz amarilla y ventanas con cortinas como velas de barcos, que dejan pasar las voces; una calle de pueblo sobrevive en el suburbio y allí las viejas se acicalan y los muchachos no están solos sino con las muchachas, y los hombres van en grupo.

En el suburbio, los cuerpos están próximos: las viejas, los muchachos y las muchachas, los hombres; las ventanas dejan escuchar las conversaciones; las cortinas, más que aislar, iluminan los interiores, son fulgores blancos en la noche barrosa. La distancia entre los cuerpos se achica, así como las materias se entremezclan, dañándose, percudiéndose, provocando metamorfosis destructivas unas sobre otras. El suburbio pasa por alto la intimidad íntima, para poner en escena la intimidad pública. Hay una noción diferente de lo que puede verse, de lo que está permitido ver. Cuerpos humanos y materias de la naturaleza entran en una simbiosis peculiar en el suburbio: entre la vitalidad y el deterioro, como si los procesos fueran siempre incontrolables. El suburbio: una Realidad que se impone sobre la construcción. ¿En ese "mundo muerto" había para él (para el que corría) un "presagio de Realidad"? Bajo un viento sideral, que en el suburbio es "pegajoso y polvoriento", el hombre acampa.

La partitura. Escribe Fabián Casas:

> Puestos con ropas,
> golosinas, cámaras fotográficas,
> zapatos baratos, anteojos de sol, etc.
> Y más: personas esperando colectivos
> que parten hacia lugares determinados;
> trenes repletos que fuera de horario

ya no pueden representar el progreso.
El cielo, cubierto de humo,
vale menos que la tierra.
Es definitivo,
acá la naturaleza bajó los brazos
o está firmemente domesticada en los canteros.[27]

Trenes y naturaleza: ya no son lo que fueron hace medio siglo. La tecnología del transporte tenía su monumento en las grandes estaciones como Retiro, con sus bases de hierro y sus bóvedas de vidrio, o en el majestuoso edificio *Beaux Arts* de Constitución. Hoy, esos templos consagrados a una nueva forma de desplazarse por el espacio persisten como prueba de una degradación material, estética y técnica. Lugares para pobres, donde se exhiben las "golosinas" destinadas al mercado de pobres. La naturaleza, que un moderado paisajismo urbano pensó que podía quedar incorporada como fragmento, como respiradero y paseo en la ciudad, la naturaleza citada en las grandes plazas que enfrentan a la estación de trenes, no fue capaz de resistir bajo el humo ni fue capaz de prosperar en el trazado de jardines destrozados por la basura. De lo que fue una idea de ciudad, quizás nunca del todo posible, queda muy poco: el transporte de los pobres, que no respeta las reglas que una vez se impusieron; "fuera de horario" los trenes no son el progreso. Toda decadencia es irónica respecto de las pretensiones, los deseos, las ambiciones de quienes estuvieron antes.

Podredumbre y chatarra. Entre 1992 y 1995 Daniel García Helder excavó la arqueología de un recorrido que incluye Berisso, Avellaneda, el Riachuelo, hasta llegar a la estación del sur de la ciudad de Buenos Aires, Constitución.[28] Como Pasolini, atiende a las materias que han envejecido, huele la corrupción de las sustancias. Escribe cuando el hierro ya se ha oxidado en las maquinarias abandonadas, en los parantes de los edificios y los puentes. Es un paisaje después de la industria, donde sin embargo persisten los rastros de quienes trabajaron cuando todavía las materias no habían comenzado su proceso de desintegración. Hoy el paisaje muestra todos los signos de una decrepitud inútil.

Abandonado por aquello que lo volvía paisaje industrial viviente, conserva solamente la traza territorial del ferrocarril. El resto son ruinas de una zona desprolija, pero vibrante; ruinas que no están invadidas por una naturaleza amigable, como las de la Italia romana, sino por pastos secos, bañados por agua podrida ("rastros de espuma congestionada / en pilotes de lo que fuera un muelle, engrasados"). La villa y las ruinas industriales degluten la misma materia en estado de transmutación hacia la podredumbre. El interés por la materia en descomposición está en la otra cara de la modernidad industrial, la que se vuelve hacia aquello que no se ha impuesto ni ha triunfado (las acerías de Pittsburgh, las fábricas y los muelles de Manchester, las minas de carbón clausuradas). De donde se ha retirado la industria quedan las ruinas de objetos y edificios que, a diferencia del mármol de las ruinas mediterráneas clásicas, fueron construidos con materiales cuya plenitud reside en su brillo, su ensamble perfecto, la ausencia de decaimiento, el engranaje cuyos tornillos puedan girar porque no están cubiertos por una pátina perversa que les quita su función móvil o borra la ingeniería que supo armarlos desde partes separadas, aptas para el ensamble y el bulonado. El hierro puede ser elemento de un paisaje sublime para una mirada estética que construya en las ruinas modernas un mundo paralelo al de las ruinas clásicas o góticas. Pero los puentes herrumbrados, los galpones vacíos, la extensión de desechos industriales son más melancólicos que sublimes. Algo se ha perdido para siempre: el hierro herrumbrado no puede ser restituido a lo que fue, porque se ha debilitado, se ha corrompido, se ha vuelto inútil o peligroso.

Lo que se ve: chapas galvanizadas, chatarra, alambrados, alambres de púa, carteles de chapa, todo tiene la marca de una lejana fabricación industrial y de una decadencia presente, por oxidación, percusión, quiebre. Es un paisaje metalúrgico, artificial, producto del trabajo y de la desaparición del trabajo. Lo que no está herrumbrado está podrido; lo que no está podrido está agrietado; lo que funcionaba se ha detenido; y la naturaleza está presa dentro del mismo ciclo: el "agua bofe", "agua negra", la "espuma congestionada" del Riachuelo, el pasto reseco entre los adoquines, "zarzas trepadoras de flores que el viento restregaba hasta aburrir, hasta matar", la piedra sucia por el esmog, palmeras sin penacho, basurales y mugre, "flatos y bazofia".

En estrofas regulares de cinco versos cuyos acentos a veces marcan el ritmo de un endecasílabo, García Helder presenta un contraste deliberado entre las ruinas del territorio y el ritmo del poeta que lo recorre. Otra colisión poética es la que se produce entre la cultura de las ruinas industriales (el trabajo, sus instrumentos organizativos, la técnica, los sindicatos) y la literatura que ofrece mitos antiguos que permiten rescatar esas ruinas de su inmediatez moribunda: por ejemplo, la metamorfosis de dos viejos cuyas cabezas podrían convertirse en cariátides, dos viejos que conversan en una esquina de nombre revolucionario y artístico: Quinquela y Garibaldi; el botero a quien le falta una pierna, que cruza el Riachuelo a la altura del corralón de Descours & Cabaud; la ausencia de un reloj, las agujas trabadas de otro. Imágenes siniestras que llevan el peso de la cultura, algo que García Helder preserva porque el paisaje obrero decadente es evocado no desde el populismo, sino desde una materialidad objetiva, que busca captar la dureza más que suscitar la piedad. Es el paisaje donde la naturaleza se ha ausentado y los temas clásicos muestran su imposibilidad, sobre la que Helder escribe: "si las aguas conservaran sus amenas propiedades". Las han perdido porque ya no hay paisaje ameno, sino ruina.

> El puente del ferrocarril y, paralelo, el otro puente desde, donde, vi
> el crepúsculo en marzo caer sobre la barranca, sobre la villa,
> caer de lo alto a lo bajo sobre lo negro, sobre ranchos humeantes,
> sobre ramas de cualquier árbol seco, secas, y zarzas trepadoras
> de flores que el viento restregaba hasta aburrir, hasta matar/
>
> y vi, con los ojos pero vi, de espaldas bajo las mismas
> nubes ya avanzadas, la piedra sucia de smog, bajo la T de la cruz,
> los ángeles del campanario de Santa Lucía en número de cuatro
> asomar por encima de un tapial con alambres de púa y un cartel
> de chapa en rojo PELIGRO ELECTRICIDAD sobre blanco/

y una fábrica de galletitas y enfrente, escrito y rayado a la vez
con birome negra en la puerta de un petit hotel estilo túdor
MI VIDA SE CAE A PEDAZOS NECESITO ALGO REAL (FB '92)
y arriba en el friso dos bestias aladas cabeza de león cola de dragón
sostener con las garras un escudo cuarteado en forma de aspa/

y vi ese otro que dice PELIGRO CABLE 25.000 VOLTIOS
en el puente del Ferrocarril Roca manufactured by
Francis Norton & C° Ltd, de Liverpool, consulting engineers
Liversey Son & Henderson, de Londres, desde donde vi
(leí) ИOIƆUTITƧИOƆ sobre el edificio de la estación/[29]

Rejas. Desde Entre Ríos hasta el Parque Patricios, todos los negocios de la avenida Caseros están enrejados; no hay ventana que no duplique sus marcos originarios con un rectángulo de hierro atravesado por la cuadrícula horizontal y vertical. No hay entrada a ninguna casa que no tenga su reja. De noche, esta línea fortificada parece adecuarse a los peligros de la zona, pero en una tarde luminosa y despreocupada de domingo los barrotes son un anuncio de lo que podría suceder, o de lo que los dueños de los almacenes, los supermercaditos y los quioscos temen que suceda si no trabajan detrás de rejas. La calle es la galería de una prisión, con personas que desconfían unas de otras, a ambos lados, y cuyos movimientos están limitados por el doble cerramiento. Candados, mirillas también enrejadas, trancas de hierro acá y allá, algún revólver debajo del mostrador, cuyos usos aparecen, después, en las noticias policiales.

Este sistema de rejas no tiene más de una década. Es, para la historia del barrio, relativamente nuevo, pero resulta difícil imaginar que en un futuro se saquen las rejas y los quioscos vuelvan a mostrar sus estantes de golosinas y sus heladeras con latas de bebidas sin otra protección que el (hoy destruido) pacto tácito de confianza entre dueños y clientes. Las rejas le dan a Caseros un clima duro: donde hay rejas, de algún modo, *el barrio ha caducado*, porque no se ponen rejas sino para evitar a quienes, sean de 'por allí' o lleguen de más lejos ('de la villa'), no pertenecen a la categoría de 'vecino'. Lo mismo se ve en el Bajo Flores, cerca de la cancha

de San Lorenzo, y en las manzanas que rodean el barrio Illia: ventanas y puertas con rejas, aberturas mínimas por las que se desliza una botella, un video, un paquete de cigarrillos o de pañales, y se recibe un billete. La ciudad del miedo.

Hace cien años se había imaginado otro destino para Parque de los Patricios:

> Entre 1907 y 1919 una cantidad considerable de realizaciones y proyectos de vivienda popular se van a concentrar en las inmediaciones de Parque Patricios: además de los conjuntos La Colonia y San Vicente de Paul, la manzana Buteler (1907-1910), el proyecto no realizado de barrio municipal diseñado por Thays en los terrenos de la Quema (1911), y la primera Casa colectiva de la Comisión Nacional de Casas Baratas frente al parque (1919) [...]. Esta concentración de iniciativas –en algunos casos de alta calidad arquitectónica y urbana, y en todos los casos de notoria solidez en la dilución agreste del suburbio– podría explicar casi por sí sola la identificación hacia los años veinte de Parque Patricios como un "barrio cordial".[30]

III. VIOLENCIA URBANA

A quemarropa. De un relato de Osvaldo Aguirre:

> El puesto de guardia quedaba justo sobre el ingreso a la playa del Mercado. Era una garita en medio de una calle de doble mano por donde entraban y salían vehículos, apenas un techo donde refugiarse si llovía. El custodio estaba sentado afuera, con una escopeta entre las piernas. Hablaba con otro viejo, un changarín que usaba lentes culo de botella y que después no pudo dar ninguna descripción. Tomaban mate y se rascaban. Era fácil; como habían planeado, se separaron antes de llegar.
> Encaró César, porque el tipo, un jubilado de la Gendarmería, lo conocía, tenía cierto trato con su familia. Y también porque era más corpulento que Sebastián y podía impresionar.
> –Dame eso –dijo, y le apuntó con el 32.
> El custodio vio que el revólver no tenía balas. Pura chatarra. Se tiró hacia atrás en el asiento, montó su arma y le apuntó. Era una escopeta de culata recortada, de las que llaman pajeras, como las que usa la policía en la cancha. No se dio cuenta, y tampoco el changarín, pero ése no veía un elefante a cinco pasos de distancia, que Sebastián venía por el costado, en lo oscuro.
> A lo mejor el custodio lo quiso asustar, hacer que saliera corriendo, porque conocía a la familia: venía a ser el tío de una novia que él había tenido, se saludaban cada vez que se cruzaban y vivía a menos de dos cuadras de su casa. Si por ahí el tipo hasta se ponía a hablar con la madre. Pero Sebastián se detuvo tan cerca que podía tocarlo con una mano y le pegó un tiro en la cabeza y otros más en la espalda cuando el viejo se fue de boca al piso, como si un camión invisible lo atropellara.[31]

Como en las noticias policiales, el custodio y sus atacantes se conocen. Como en las noticias policiales, el custodio no vacila cuando piensa que puede hacer volar por el aire a su atacante con un escopetazo. Como en las noticias policiales, vagos parentescos de familia extendida (alguien que fue novia o novio de alguien, alguien que conoce a alguien, etc.); uno de ésos le pega un tiro en la cabeza, desde muy cerca, y lo remata, sin necesidad, una vez que el hombre ha caído al piso. Después de usarlo en esa muerte, el revólver "quema" y Sebastián se lo vende, por 20 pesos, a un boliviano. Las armas circulan, degradándose a medida que son usadas, porque se cargan con las muertes anteriores y se vuelven venenosas para quien las empuña. Pero circulan, porque siempre hay alguien que necesita un arma por 20 pesos. Días después, Sebastián apareció "con un revólver de juguete que tiraba balines. Se lo habían dado en la villa, en parte de pago, con unos pesos, por el 32 que no tenía balas".

Otra noche necesitan un auto:

> Llevaban las armas ocultas, pero el hombre que ocupaba el Peugeot pareció darse cuenta de sus intenciones. Puso en marcha el auto y probó el acelerador. Entonces se separaron: César fue a encarar al chofer, ya con la escopeta lista, y Sebastián, desviándose un poco, se acercó por el lado del acompañante.
> –Tomá la billetera –dijo el tipo del auto a César–. Te doy toda la plata.
> No era un careta sino un viejo como de 60 años: un remisero. Debía esperar un viaje; había que apurarse.
> –Quiero el auto, no la billetera –dijo César.
> […]
> El viejo le arrojó la billetera a la cara y subió la ventanilla. Acto seguido, aceleró.
> César le tiró sin hacer puntería. El disparo entró por el vidrio de la puerta trasera derecha y siguió una trayectoria en línea oblicua que terminó en la cabeza del remisero.

Circularon las armas y fueron usadas, con la seca rudeza que deberían tener las noticias policiales y que sólo alcanza la buena literatura. El circuito territorial de las armas pasa por las villas miseria, los fondos de las casas precarias, los pozos donde se las arroja para esconderlas de la policía o para guardarlas hasta que se las necesite de nuevo. Esa danza de las armas tiene el ritmo no controlado de lo que se va tomando: cocaína, bajón de cocaína, pastillas, que pueden ser o parecerse al Rohypnol. Una conciencia a veces acerada y despierta, otras veces brumosa, y las armas al alcance de la mano, defectuosas, pero certeras. El tiro entra por un lado, se desvía, choca contra un cráneo.

Cíber. Noticia policial:

> Un niño de 12 años que había sido baleado en la nuca por uno de los dos delincuentes que asaltaron el cibercafé donde se encontraba falleció unos minutos más tarde del trágico asalto, según confirmaron a *La Nacion.com* fuentes médicas.
> El jefe de Guardia del Hospital Mariano y Luciano de la Vega, del partido bonaerense de Moreno, confirmó que "el chico ingresó sin signos vitales a la institución".
> El episodio ocurrió esta tarde, a las 15:30 hs, en un comercio ubicado en Potosí al 2600 de la localidad de Villa Trujuy, en dicho partido del oeste del conurbano, donde la víctima se encontraba junto a otros pocos clientes. Según las fuentes, dos delincuentes armados ingresaron al cibercafé con fines de robo y antes de huir con dinero y teléfonos celulares, uno de ellos disparó, por causas que se investigan, e hirió al chico en la nuca. Tras el balazo, los asaltantes escaparon del lugar a bordo de una motocicleta mientras que el niño fue trasladado de urgencia al hospital local donde llegó sin vida, señalaron los informantes.[32]

La televisión muestra un paisaje suburbano destartalado, sin carácter, neutro, donde el cíber es el punto más alto de las atracciones al alcance de los vecinos: *video games* de aventuras por espacios que abundan en precisiones, detalles y cualidades (lo opuesto al mundo real que parece esbozado, desprolijo, somero). El asesino vive a pocas cuadras y muchos dicen conocerlo de vista. Otros están en mejores condiciones para discurrir sobre los motivos del suceso, inscribirlo en una serie que permita comprender la muerte del chico más allá del estallido de la irracionalidad o de la locura. Las fotos de los diarios y los planos de la televisión me recuerdan las palabras de un habitante de una *barre* del complejo Quatre Mille, en Courneuve, cerca de París, donde sucedieron algunas de las manifestaciones más violentas dos años atrás:

> Cuando no te sientes bien adentro, cuando no te sientes bien afuera, no tienes un trabajo, no tienes nada que sea tuyo, entonces rompes las cosas, es así. Todo lo que hacen para tratar de reparar el basural y el hall de entrada, la pintura, no sirve para nada; lo van a romper enseguida. Así no va. El problema es todo. Hay que arrasar con todo.[33]

En 1996 Françoise Choay escribió "Patrimoine urbain et cyberspace".[34] Por una inesperada ironía el título de la ponencia de Choay conjuga dos nociones que también están unidas en el asesinato del chico pobres de Villa Trujuy: patrimonio urbano (ausente, asediado, precario y físicamente peligroso) y ciberespacio (en un medio hostil, completamente distinto al funcionamiento sin fisuras de los paisajes simulados en los *games*, que pueden ser desolados, amenazadores, pero siempre bonitos y atestados de pormenores). Para Choay, en el ciberespacio se ha localizado un cambio social que exige cambios en el espacio real; es el punto de incidencia de las técnicas sobre lo urbano y sobre las relaciones que se mantenían tradicionalmente allí. El ciberespacio como "horizonte de toda prospectiva".

Ese horizonte evocado en 1996 no es ya una línea abstracta sino un espacio virtual que se cruza con el espacio real: no sólo las capas medias sino los chicos pobres de Villa Trujuy están incluidos allí. El chico asesinado celebraba su cumpleaños en un cíber, jugando en red. Su diversión transcurría en el nuevo espacio, pero contaminado por el espacio de la calle; el disparo que le dio muerte fue real y destrozó su cabeza y el monitor.

A juzgar por las fotos, el espacio real podía ser el de una ciudad deteriorada de un espacio virtual *mal* diseñado: la nada por todas partes, sólo el cíber, la calle, ninguna indicación de cualidades urbanas. Pobreza, precariedad. Como diría el habitante de las Quatre Mille: dan ganas de romperlo todo, una vez que el *video game* ha concluido. Es más: sorprende que todavía no hayan roto todo.

El cíber donde aconteció la muerte es sólo una vidriera y una entrada sin ningún rasgo, sin el atractivo de una decoración. Todo se concentra en las pantallas: hay que entrar sin mirar, salir sin mirar, no hay nada que ver, no hay distribución de signos, ni arreglo del espacio, todo está reducido a sus funciones básicas, como si se tratara de un refugio de supervivencia para náufragos: "El ciberespacio es emblemático del desinterés por los espacios orgánicos", escribe Choay. No se trata de una responsabilidad del ciberespacio, de una falla atribuible a él, sino de una ausencia de la sociedad que el ciberespacio compensa como puede (mal, cuanto más pobre sea el cibernauta).

"No se puede evitar la pregunta: ¿los viejos modos de organización del espacio local conservarán algún sentido? Las prácticas de fabricación y de apropiación de un espacio articulado, a escala humana, ¿están condenadas por la lógica de la conectividad en provecho del volverse periferia de un territorio devorado por parásitos?" No sabemos construir ciudad a nivel local. La falta de ciudad equivale a la falta de "un valor antropológico esencial", porque aún no existe un sucedáneo del espacio real, ni sabemos si ese sucedáneo existirá en un futuro próximo. El ciberespacio tiene muchas potencialidades y ha cumplido algunas de sus promesas. Pero nunca prometió, salvo en las distopías de la ciencia ficción, reemplazar lo que sucede o puede suceder en el espacio real, donde el disparo de un arma sigue manteniendo su poder incontestable.

En la barriada sin cualidades los delincuentes son conocidos, tolerados por miedo, amparados por lazos de amistad o de familia, por esos lazos de la solidaridad primaria que subsisten cuando otros se disuelven.[35] En ese lugar sin atributos el cíber es más horrible que una carbonería de los años veinte y, sin embargo, promete una heterotopía imaginaria, único lugar donde las calles realmente existentes son reemplazadas, durante una hora, por una disposición del espacio virtual que es más atractiva (nada puede ser menos atractivo que ese barrio). El crimen real explota en el borde del espacio virtual, junto con la cabeza del chico salta la pantalla de un monitor. La crueldad es evidente, pero también la motivación sostenida en la ausencia de motivos.

La ciudad que puede reformarse (la ciudad siempre ha sido un objeto arquetípico respecto del cual se pensaron reformas) se fue de esos suburbios o nunca estuvo allí.

Hechos rojos. Un chico de 6 años que jugaba en el pasillo de una villa miseria murió por el impacto de un proyectil durante un enfrentamiento entre bandas de narcos; dos ladrones organizaron un *raid* por los barrios de Buenos Aires, tomaron media docena de rehenes y la policía los acribilló con cuarenta balazos; un quiosquero, un almacenero, un farmacéutico, un carnicero mataron a tiros a unos tipos ("seguramente drogados") que quisieron asaltarlos; varios jóvenes delincuentes, fuera de sí, mataron a tiros a un quiosquero, a un almacenero, a un farmacéutico a quienes estaban asaltando.

Todos los días hay robos, atracos, accidentes callejeros, violencia armada en las villas miseria y también en los barrios ricos; en el centro de la ciudad, a la salida de las discotecas, los clientes se pelean a golpes casi todas las noches y, de vez en cuando, muere alguien (y *no sólo* un boliviano asesinado por un patovica); en las cárceles, casi un tercio de los internos tiene VIH por las violaciones y el consumo de drogas; más de la mitad de los que salen en libertad vuelven a delinquir en los dos meses siguientes; se venden permisos de salida a delincuentes presos por homicidio; los motines en las prisiones son tan habituales como las agresiones de las barras bravas durante los partidos de fútbol. La lista de los casos de violencia urbana es prácticamente infinita. El miedo organiza la relación con el espacio público, instalado, a partir de datos reales, por una sinfonía televisiva que no baja del *fortissimo*, con el efecto amplificador del sensacionalismo.

Pero las ciudades no son homogéneas. Hay diferencias inconmensurables entre los barrios de Buenos Aires: no es lo mismo decir Villa Soldati, Villa Riachuelo, Pompeya o Lugano que Caballito o Palermo. Un abismo divide la ciudad y muchas zonas del Gran Buenos Aires con las que limita. Eso se llama diferencia social.

Es cierto que, comparada con su propio pasado, la ciudad no es la misma. Pero ¿es necesario comparar sólo con el pasado? Si pensamos en Bruselas o Berlín, Buenos Aires o Córdoba son inseguras. Pero tampoco se parecen a decenas de grandes ciudades latinoamericanas donde es estadísticamente más peligroso viajar en transporte público o divertirse los fines de semana, cuando muere una decena de personas, y en los hoteles advierten a los turistas que no se les ocurra salir a hacer *jogging* si aman la vida.

Las encuestas indican que el setenta por ciento de quienes las responden afirman conocer a alguien que fue asaltado en el último año. Se toman rehenes, se los mutila, se mata por unos pocos pesos: el nuevo estilo de la delincuencia es brutal. Pero no sólo las ciudades argentinas sino el mundo entero ha cambiado desde 1960. Y, además, los que recuerdan los años sesenta son viejos que no hacen trabajo estadístico sino que simplemente consideran que la juventud fue siempre una época mejor.

Imaginario de la violencia urbana. En los recuerdos del pasado reciente también podría encontrarse un hilo que conduzca a los años de la dictadura, donde se vivió la paradoja de una máxima inseguridad jurídica junto con una tasa relativamente baja de pequeños crímenes urbanos. Mientras la dictadura asesinaba por decenas de miles, las ciudades estaban ordenadas por el Estado autoritario. Para quienes no estaban en el foco de una represión que, en la mayoría de los casos, significaba muerte o tortura, Buenos Aires era una ciudad cuyos habitantes adultos percibían como segura. Era, en cambio, oscuramente enemiga de los grupos juveniles, hostilizados no por la delincuencia, ni por sus propias reyertas, sino por la policía.

Ahora bien, el deterioro de la seguridad urbana se ha acentuado. Sus efectos en el imaginario no son políticamente controlables ni pueden refutarse con los números del terrorismo de Estado ejercido entre 1975 y 1982. Los efectos imaginarios son eso: una configuración de sentidos que se tejen con la experiencia pero no sólo con ella. Por diversas razones, muchas de ellas enteramente objetivas, la ciudad de la transición democrática, la ciudad del último cuarto de siglo, es percibida como más insegura que la ciudad controlada por un Estado terrorista.

Así las cosas, no se trata de demostrar que el imaginario se equivoca. Dentro de las posibilidades de lo imaginario no está la de equivocarse. Con el imaginario no se discute.

Experiencias de ciudad.[36] Aunque la prensa dramatice la inseguridad en que viven los vecinos afluentes, sin duda es en los sectores más deteriorados de los barrios del sur y en las villas donde el problema atraviesa todos los pliegues de lo cotidiano, ya que la droga de más baja calidad circula entre sus jóvenes y por su intermedio, y los delincuentes más agresivos tienen a la villa o los barrios muy populares como aguantadero. Es allí donde también se extiende el territorio de una policía sospechada de corrupción. Rodeando a la ciudad, el Gran Buenos Aires ofrece un patético y grotesco entramado de villas miseria y barrios pobrísimos, viejos barrios obreros consolidados donde hoy campea la desocupación y franjas enormes de nuevas urbanizaciones cerradas (los llamados *country clubs* y barrios privados, que son la versión periférica de las *gated communities* norteamericanas). En el sur de la ciudad y en las urbanizaciones del Gran Buenos Aires la violencia es un dato cotidiano ineliminable.

El Estado no está en condiciones de garantizar la paz entre los miembros de la sociedad ni de proteger a los agredidos, ni de evitar que unos y otros se conviertan en agresores. La circulación y venta clandestina de armamento, la debilidad o la corrupción de las fuerzas policiales, el desorden de la represión cuando reprime casi siempre excediéndose, son los vientos que llevaron al naufragio. No se necesita ser filósofo de la política para percibir que el contrato originario (que, como toda narración, subsiste como mito) está fisurado y que el Estado, pese a los reclamos y a las intenciones de algunos gobernantes, no logra hacer aquello para lo cual fue instituido.

Pero hay otra dimensión de esta crisis de seguridad: la debilidad de la pertenencia a una sociedad que ha estallado en escenarios. Michel Maffesoli indicó el debilitamiento de los lazos que definieron la pertenencia a una sociedad "moderna", y la emergencia de configuraciones "de proximidad", inestables pero intensas, que cambiarían como las figuras de un caleidoscopio, aunque sus miembros inviertan en ellas una afectividad alta. Estas "nebulosas afectivas" pueden persistir en el tiempo (es el caso de las deportivas) y provocar identificaciones más fuertes que las sociales.[37] Néstor García Canclini subrayó la relevancia de la figura del consumidor, definido en relación con el mercado y no con otras instituciones de ciudadanía, como articulador de un nuevo tipo de identidades.[38] Si no se puede consumir y la identidad relevante es la del consumidor, aquellos sectores juveniles más tocados por la magia de la mercancía como dadora de identidades y prestigios "se roban las zapatillas o el buzo de marca", con una violencia que, hasta hace algunos años, se reservaba al crimen pasional o a los grandes enfrentamientos entre delincuentes y policía. No hay medida que ponga en relación lo obtenido en un robo y la violencia con que se lo encara.

Paisaje después del ajuste. Las transformaciones económicas de la década del noventa en América Latina (lo que se ha llamado el "ajuste") impulsaron en una misma dirección. Para quienes forman parte de la masa de desocupados y subocupados parece débil y remota la idea de que la sociedad es un espacio donde hombres y mujeres no están inevitablemente destinados a la frustración y al fracaso. Más bien, su experiencia señala lo contrario: que sólo excepcionalmente puede evitarse el fracaso.

El espacio social de los sectores populares se ha fragmentado, además, por otras razones suplementarias. Se han reconfigurado las ciudades, divididas por barreras culturales intimidatorias y por las diferencias en los consumos materiales. La crisis de seguridad afecta e inmoviliza a quienes viven en barrios populares, obligados a garantizar, en todo momento, una presencia en sus casas para evitar depredaciones y robos, condenados al aislamiento en viviendas donde el equipamiento cultural es mínimo. La movilidad en el tiempo de ocio se reduce y, en consecuencia, también se achican las posibilidades de contacto con otros niveles y consumos sociales. Pero las causas de esta fragmentación serían en cualquier caso transitorias si no estuvieran potenciadas por otras disposiciones de carácter más estable. O si ellas mismas no generaran disposiciones estables.

En este paisaje explosivo la violencia urbana no es sorprendente sino previsible. Sus razones no son simplemente una consecuencia de las transformaciones económicas, sino también de la dispersión simbólica que se produce en un medio donde el horizonte de expectativas es precario. Los pobres no salen a delinquir. Los que salen a delinquir son los que viven en una cultura desestabilizada, entre otros factores, por la desocupación y la pobreza. La violencia no está, por supuesto, ligada sólo al delito. Hay violencia en el fútbol, en las diversiones de fin de semana, dentro de las familias, contra las mujeres y los niños, en el trato diario en la calle y entre bandas de adolescentes o de jóvenes. En un clima de hostilidad se ha generalizado la violencia armada allí donde, hace pocos años, sólo era excepcional.

Hay que agregar la droga como dato nuevo, cualitativamente diferente de sus usos y su cultura en el pasado (la actual no es la droga hippie, ni la droga de los trasnochadores, ni la droga de quienes, de Michaux a Huxley, buscaban experimentar con la subjetividad y las percepciones). Tradicionalmente, éste no fue un tema de los sectores progresistas: desde los años sesenta, la cuestión de la droga había sido encarada como una reivindicación libertaria especialmente en las capas medias modernizadas. Hasta hace poco la Argentina no fue un lugar de destino, ni un mercado importante, ni un puerto de pasaje decisivo para las redes internacionales. Hoy ha comenzado a ser las tres cosas al mismo tiempo.[39]

La relación de la droga con algunas de las manifestaciones de la violencia urbana opera en dos niveles. Por un lado, están los hechos que, de modo directo o indirecto, tienen que ver con las consecuencias del consumo o del tráfico. Pero, por otro lado, de modo muy espectacular, la sociedad parece haber despertado de un sueño agradable en cuyo transcurso la Argentina estaba relativamente limpia. Hoy nadie cree eso. Por el contrario, la idea de que la droga es una causal de la violencia es un dato del sentido común que casi no hace falta probar: en la descripción de la violencia, sus testigos o sus víctimas casi siempre creen identificar agresores jóvenes y drogados.

Los intérpretes autorizados. Escribe Lila Caimari:

> El miedo al crimen no es nuevo, pero tiende a *ser pensado* como nuevo. Las colecciones de diarios de las hemerotecas de Buenos Aires nos dicen que el delito del presente –sea éste el del siglo XIX, el XX o el XXI– siempre se ha recortado en oposición a un pasado imaginario en el que dicho temor era insignificante. ¿Hoy hay más crimen que ayer, por eso ayer vivíamos mejor? Síntoma del malestar ante el cambio, el crimen es un tema del archivo crítico de la modernidad urbana –la de Buenos Aires, y la de tantas ciudades–. Esta nostalgia no opone simplemente la *cantidad* de crimen de ayer a la de hoy. Cada época constata también un deterioro *cualitativo*: además de menos frecuente, el crimen de antes era mejor –menos dañino, más previsible, moralmente más inteligente–.[40]

Esto es lo que el archivo les permite decir a los historiadores. El archivo vale. Pero no vivimos en el archivo, sino, como también señala Caimari, en sociedades mediatizadas donde los medios de comunicación procesan los datos de la experiencia, los refuerzan o los socavan, aunque no puedan contradecirlos abiertamente salvo en la ficción e, incluso en este caso, sólo según ciertas reglas. Los medios informan sobre aquello que sucede más allá de los límites de la experiencia vivida. En el caso de la violencia urbana, abren también una esfera judicial ficticia, una especie de actuación teatral que, a veces, tiene repudiables consecuencias sobre la justicia de los jueces y las leyes que los legisladores introducen o modifican bajo la presión de una opinión pública agitada no por dirigentes sino por víctimas.

Por un lado, los medios presentan un registro 'documental' de la violencia. La palabra 'documental' es la más adecuada para designar el estilo de los emisores populares. Se trata, por supuesto, del 'documentalismo' como género televisivo. La información recurre a la toma directa de los sucesos en el momento mismo en que se están produciendo: un asalto con rehenes se transmite en directo;

algunos programas acompañan a las brigadas policiales porque reciben avisos, a causa de un sistema de relaciones bien tramado entre medios y destacamentos policiales. Pero aun en los casos (que son la mayoría) en que el registro comienza después de que los hechos hayan terminado, lo que se capta de modo 'documental' son las consecuencias del acto de violencia: cadáveres, escaparates destruidos, agujeros de bala en las paredes, autos chocados durante la persecución, el cuerpo herido de las víctimas vivas cuando llegan a los hospitales, las declaraciones de los familiares, los testigos o de quienes afirman que lo fueron.

El relato es 'documental' hasta el extremo de que casi no hay cortes en los canales más populares, pero tampoco en otros que quieren distinguirse del periodismo amarillo sin dejar de sucumbir a sus encantos y sus oportunidades de lucro. Las secuencias son prolongadas, con alzas y bajas de la tensión narrativa. Se presenta *une tranche de vie crapuleuse*, en la tradición naturalista costumbrista que confluyó, hace más de cien años, con la crónica roja. El desorden narrativo ofrece la prueba de la verdad referencial; se muestran los hechos al mismo tiempo que están sucediendo o lo más cerca posible de ese lapso. Esta proximidad temporal con lo sucedido es un argumento decisivo en la competencia capitalista por el mercado de la primicia.

Técnicamente, estas tomas directas llevan las marcas de lo 'documental': cámara en mano, cuadro permanentemente reconstruido por la búsqueda de lo que está sucediendo; imprecisión de las imágenes por una iluminación natural no preparada para la toma o preparada de manera demasiado imprecisa, para que nada de lo que suceda escape a la posibilidad de ser capturado; violentos cambios de foco obligatorios porque no hay un objeto predeterminado sino una multiplicidad de objetos que se van volviendo significativos para el relato (puertas que se abren o se cierran, autos que salen o llegan a toda velocidad, camilleros que corren con sus cargas de cuerpos heridos, familiares o amigos de las víctimas que, enfurecidos, exigen justicia inmediata o cosas peores).

Los medios reclaman, como parte de los derechos de prensa e información, la posibilidad de realizar estas tomas directas en el momento mismo de los acontecimientos. En nombre de la libertad de información transgreden disposiciones explícitas de los jueces, arriesgan la seguridad de detenidos o rehenes y alimentan una indignación perfectamente comprensible en las víctimas pero que se extiende a los comentaristas no implicados en el suceso. En los diarios sobre papel, la crónica roja se ha convertido en crónica cotidiana, desbordando los límites del género y ganando el lugar de la "información general". Ya no hay página ni sección policial propiamente dicha, sino que este tipo de noticia atraviesa el diario, radicándose más intensamente en algunas secciones y compitiendo en tapa. Jesús Martín Barbero escribió: "Los medios viven de los miedos".[41] Lo contrario también es cierto. La ciudad real, los suburbios reales y los de los medios a veces coinciden y otras se contradicen. Pero, en cualquier caso, los medios ofrecen una idea de ciudad y de suburbio que puede ser más fuerte que la experiencia.

No tiene sentido comparar la "realidad de la experiencia", porque ella no existe sino mezclada (como si se tratara de pigmentos de dos colores) con la "realidad de los medios". Durante todo el siglo XX, la experiencia de ciudad utilizó un conjunto de palabras o de imágenes para construirse periodísticamente: las notas de costumbres, las policiales, el circuito de los rumores, las opiniones autorizadas. *No hay ciudad sin discurso sobre la ciudad.* La ciudad existe en los discursos tanto como en sus espacios materiales, y así como la voluntad de ciudad la convirtió en un lugar deseable, el miedo a la ciudad puede volverla un desierto donde el recelo prevalezca sobre la libertad. La ciudad se parte y de su utopía universalista se arrancan pedazos que *unos* consideran extraños porque justamente allí están los *otros.*

3. Extraños en la ciudad

Hace un siglo, más o menos. En "Sirio libaneses en el centro", aguafuerte de 1933, Roberto Arlt describió la inmigración más exótica, con palabras salidas de la botánica, la zoología y el "orientalismo":

> Calle de hombres que tienen narices de caballete y toronja, calle de orejudos fantásticos, de narigudos prodigiosos como bufones de comedia antigua; calle de hombres que hablan un idioma más seco y áspero que la arena del desierto y que habitan en tenderetes y comercios frescos en verano, como los sótanos de un harem. Calles de siete mil colores en los tejidos; calle de apellidos musicales y de ensueño: Alidalla, Hassatrian, Oulman, con vidrieras blindadas de telas, semejantes a tejidos metálicos, rameado de floripondios de plata y de bronces...Tejidos. Nada más que tejidos. Paños. Hilos. Sedas vegetales. Lanas. Y hombres de narices como toronjas corcovadas, de orejas como hojas de repollo, de labios picudos, de mandíbulas tuertas, reviradas.
> [...]
> Las palabras chasquean y restallan o se arrastran guturales, gangosas e incomprensibles. A veces estos hombrazos juegan como chicos, se empujan por los hombros, se corren hasta el centro de la calle, gritan como perros y luego, nuevamente, recobran el ritmo de su sigilo y continúan conversando.
> Así en toda la calle Larrea, de Corrientes a Lavalle y de Lavalle hasta Azcuénaga y Corrientes. Un rectángulo

de mahometanos, de cristianos heterodoxos, de judíos de Palestina y Siria y el Líbano y de escasos turcos.[42]

Estos sirio libaneses del Once eran 'raros', comparados con quienes, desde el último tercio del siglo XIX, habían llegado de la Europa meridional, los italianos o españoles, que podían ser despreciados por las elites, pero exhibían un exotismo más débil. Además, la elite, si tenía origen colonial, llevaba apellido español; y los italianos participaron tempranamente de la vida pública de Buenos Aires.[43] En cambio, los sirio libaneses de Arlt, alegres y torpes como niños, son extranjeros que hablan sus lenguas guturales y no se parecen a nada.

Antes de que estos sirio libaneses fueran captados por Arlt (que simpatizaba con el exotismo), algunos intelectuales pensaron que otras oleadas inmigratorias debilitaban los cimientos de la nación, por desconocimiento de la historia y corrupción de la lengua. Los alarmaba que las calles estuvieran llenas de carteles en lenguas extranjeras, que también sonaban en los discursos de las sociedades de fomento, sindicatos y mutualidades, en periódicos y cantos festivos. El cosmopolitismo de las elites letradas era aceptable, aunque debía ser regulado por la correspondiente veneración de los orígenes hispanocriollos; el cosmopolitismo instantáneo e iletrado (o visto como iletrado) de la inmigración resultaba inaceptable y amenazador.[44]

En sus famosas conferencias sobre el *Martín Fierro* (publicadas como volumen en 1916 con el título de *El payador*), Lugones se preguntaba cuál era el futuro de la "raza" en un país donde el tipo original, el gaucho, había desaparecido y las "razas" inmigratorias reclamaban mucho más de lo que les correspondía como recién llegados a quienes sólo se les había prometido libertad de trabajo, de asociación mercantil y de culto. En 1909, Ricardo Rojas dictaminó que no había sonado la hora para erigir una estatua del republicano Mazzini en una plaza de Buenos Aires, porque era un héroe *demasiado* extranjero, y los hijos de los italianos inmigrantes aún no se habían vuelto aceptablemente argentinos. Rojas sostenía que las estatuas son elocuentes, y que "ellas han de influir no solamente sobre el alma de las nuevas generaciones, sino sobre la imaginación de las nuevas avalanchas inmigratorias".

El espacio público estaba en disputa: de un lado, las iniciativas de la comunidad italiana que quería ver a sus héroes en las plazas porteñas (en 1904 se inauguró el monumento a Garibaldi) y quizás incorporarlos a un panteón más mezclado que el monocorde friso argentino; del otro, la respuesta nacional defensiva, que difería los derechos de ocupación simbólica para más adelante, cuando los hijos de los inmigrantes mostraran los resultados de una educación nacional a través de un aprendizaje que debía inculcarse en la escuela y en la ciudad. Rojas tenía una noción moderna y, al mismo tiempo, limitacionista del espacio urbano, alerta a los ecos de los diferendos culturales:

> La calle es de dominio público, y así como el Estado interviene en ella por razones de salubridad y de moral, debe intervenir por razones de nacionalidad o de estética... Uniformando los letreros en la lengua del país, suprimiríase ese abigarrado espectáculo que es como una ostentación de nuestras miserias espirituales. ¿De qué servirá, igualmente, que el maestro hable al discípulo de la necesidad de rememorar el pasado y de la continuidad que liga el esfuerzo de las generaciones en la obra de la nacionalidad, si el discípulo no halla a su paso, por las ciudades o los campos, signos que le muestren la huella de hombres, que enriquecieron con su esfuerzo la tierra de la patria común?

Es preciso salvar la nación del "caos originario" adonde la condujeron los inmigrantes, un caos que Rojas cree descubrir incluso en las más antiguas y primeras aglomeraciones de "razas", las de la colonia en el puerto de Buenos Aires, con sus "castellanos y vascos, y andaluces y querandíes, y criollos, y negros y mulatos, entre la ranchería de los fosos y las playas del río". A comienzos del siglo XX, son escasos los lugares públicos donde asentar materialmente un nuevo nacionalismo. Rojas denuncia también las demoliciones modernizadoras encaradas en Buenos Aires, porque las condiciones objetivas del crecimiento se apoyan en capitales y fuerza de trabajo extranjera, dos factores peligrosos que montan una "silenciosa tragedia" en la vieja ciudad criolla amenazada. Una arquitectura nacional, que Rojas diseña como un visionario, debe instalar en la ciudad sin alma propia estilos y decoraciones de inspiración americana:

> Los elementos con que ha de revelarla [...] duermen en lo profundo de las tradiciones argentinas y escóndense en el misterio todavía virgen de los paisajes americanos. Capiteles extraños brotarán de su flora; columnas elegantes de sus árboles tropicales; de sus leyendas, monstruos decorativos para los pórticos aún no alzados; cariátides, de los hombres y las fieras que habitaron sus bosques.[45]

Oleadas. Los extranjeros formaban tribus sólo unificadas por su carácter exótico y la distancia del miedo o del racismo. Siempre hubo extranjeros en la ciudad, a la que llegan en oleadas desde otras regiones del país, de América Latina, de Oriente cercano y lejano y, últimamente, de África. Cuando los judíos dejaron de ser extranjeros, la ciudad tuvo que acostumbrarse a los migrantes internos, y luego a los bolivianos, a los paraguayos, más tarde a los peruanos y los chinos; poco después a los coreanos. El miedo a la ciudad contaminada por los extranjeros que prosperó en el primer tercio del siglo XX hizo despreciar, en los años del primer peronismo, a los cabecitas de las migraciones internas, que desde los años treinta reemplazaron como objeto de preocupación a los inmigrantes europeos de 'mal' origen; finalmente, otros cabecitas de los países limítrofes ocuparon ese lugar. La discriminación es un rasgo recurrente, como si cualquier identidad sólo pudiera establecerse sobre un sistema de diferencias ordenadas por los ejes de lo propio y lo ajeno.

La ciudad del siglo XXI tiene sus extranjeros desconfiables, como los tuvo la ciudad de comienzos del siglo XX. Ya no son los tanos, gallegos, rusos (por rusos blancos y por judíos), moishes, turcos (por árabes), sino los peruanos, los bolitas, los paraguas, los chinos (indiferenciados entre chinos, coreanos, taiwaneses). Así como hubo una mafia italiana, las noticias policiales se refieren a una mafia china especializada en ajustes de cuentas entre connacionales. Los barrios tienen zonas donde han vuelto los carteles en lenguas extranjeras y con grafías que, hace cien años, Ricardo Rojas ni siquiera se hubiera atrevido a imaginar en una esquina de Flores o de Belgrano.

La gastronomía crea una especie de cosmopolitismo globalizado. Los consumidores argentinos de capas medias acuden a los restaurantes ahora llamados étnicos (la *nouvelle cuisine* ¿sería la comida étnica francesa creada por algunos chefs célebres?; el Bulli ¿es comida étnica catalana?, ¿o lo único no étnico es lo que monopoliza la cualidad 'occidental'?, ¿por qué al *sushi* no se lo llama comida étnica?). También se proveen de aparejos que sirven para preparar en casa esas comidas exóticas, cuando el exotismo tiene prestigio cosmopolita: la comida china se impuso por todas partes, la comida peruana se expande lentamente por el Abasto, la boliviana no entra todavía en el circuito de capas medias.

Se come chino o japonés, como en cualquier parte del mundo. Pero la vida de esos extranjeros no transcurre sólo en la escena *gourmet* y la mayoría de ellos ni siquiera forma parte de ella salvo como lavaplatos o sirvientes (igual que los argentinos en Miami o los ecuatorianos en Barcelona). La comida étnica produce el efecto de desquiciar provisionalmente el eje de lo propio y de lo ajeno, para definir el eje siempre variable de lo que está a la moda.

Imaginar 1900 en el Buenos Aires de 2000 es un ejercicio de ficción cultural.[46] Entonces los italianos o los rusos eran lo completamente exterior a la nacionalidad, porque preferían celebrar sus fiestas antes que las efemérides nacionales (como lo señaló Ricardo Rojas que, no siendo el más reaccionario de los nacionalistas, era el más susceptible a los pliegues de la diferencia cultural). Hoy eso es evaluado como rasgo de cosmopolitismo que, incluso, tiene el potencial de convertirse en espectáculo para quienes no se sienten extranjeros y encuentran en los 'otros' el lado pintoresco que ellos han perdido o no han tenido jamás. Las capas medias van a esas fiestas ajenas como a un espectáculo, acá y en todas las ciudades del mundo.

Fuera de los restaurantes étnicos y de los *intermezzos* festivos, exóticos o identitarios (depende desde dónde se los observe), los extranjeros están en el trabajo y en la vida cotidiana, padecen para ganarse la vida (patrones orientales explotan familias bolivianas, además de los argentinos siempre dispuestos a contratar en negro), y según el origen se ubican en la pirámide de los prestigios sociales y simbólicos. Cuando pueden, mientras pueden, viven entre ellos. En sus barrios se escuchan sonidos muy siglo XXI.

La cuestión del nombre. En la Argentina hay descendientes de inmigrantes sirio libaneses cuyo apellido es Romero o Fernández, producto de los avatares de la llegada al puerto, del empleado de Migraciones, de papeles con signos intraducibles, de la incuria burocrática. Hay gente que se llama Segal o Sigal, Gilman o Gelman, pero vienen de la misma aldea, y a lo mejor, tres o cuatro generaciones atrás, fueron primos. Hay apellidos italianos que se escriben de manera diferente en los documentos de miembros de la misma familia. Peripecias del nombre. Siempre se llamó "gallego" a todo español. Peripecias del origen, que ahora se generaliza en "chino" o "ponja". Los chinos encontraron la estrategia del parecido: Huan se convierte en Juan; Lu, en Luis.

> En calle Padilla
> unos chinos vestidos de pachuchos
> se reparten nombres: vos Zhang Cuo
> te llamás Francisco, vos Xin din
> te llamás Diego, vos Gong Xi: Pacino;
> y yo Bei Dao me llamo Pseudo.
>
> En los balcones
> las viejas preocupadas
> del qué dirán
> escuchan éxitos de Serú Girán.
>
> Después, discuten
> porque todos quieren llamarse Diego
> y le dicen a Bei Dao
> que Pseudo no es un nombre.[47]

Los coreanos se resisten a la uniformidad de un orientalismo mediático o racista:

Acordate: para dirigirte a mi persona, es Taekwondo. Nada de ponja, chinito, Bruce o/ Yoko. Esas son faltas de respeto. Soy coreano. A no confundir.[48]

Lluvia de estrellas

Idalinas, Justinas, Miguelinas,
Carolinas, Karinas, Cilicias y Furisbundas;
Clarisas, Clementinas, ¡Argelinas!
Marielqui, Marielbi, Marylin Sunildas;
Marilipi, Mandalia, Mariola, Mariolga,
Yulis, Yulisas, Sunilditas;
Chechés, Casianas, Ignacias,
Janiras, Zenaidas, Yunisleidis.
Macorinas, Miraflorinas, arequipeñas,
maguaneras, itacurubienses, coqueñas;
risas, llantos, ruegos, alegres alegrías;
risas, rosas, flamboyanes, flanes,
pitahayas, sancochos y sandías;
chipaguazús, añaretás, yasiretés,
curepís, mombayés, pora limbós.[49]

Lenguas extranjeras. Escucho lenguas diferentes de la que hablo: coreano, castellano no rioplatense, tan dialectal como el de acá, pero de allá: altoperuano. La extrañeza frente a una versión del castellano distinta de la propia asaltaba a los exiliados en México o Caracas: era y no era la misma lengua. Sus hijos lo probaban con el bilingüismo: castellano de la Argentina en la casa, castellano de México o de Venezuela en el colegio, pasando de uno a otro como si embragaran. Cuando los exiliados pensaban que los entendían, saltaban a la luz las diferencias en el léxico o la pronunciación, y todo volvía a empezar. Cuando ellos se persuadían de que hablaban la misma lengua, en ese momento, a alguien se le ocurría marcar la diferencia y, mientras porteños y cordobeses se distinguían entre sí minuciosamente, a los mexicanos todos les parecían hablantes de 'argentino'. Algunos mexicanismos le caían perfectos al dialecto rioplatense ('pinche' trabajo, por ejemplo), pero otros siguieron siendo inmanejables y necesitaron de una simultánea traducción mental. Los exiliados se mexicanizaron en los trabajos, hasta donde pudieron y muchas veces pudieron bastante poco (o creyeron que no valía la pena), pero el voseo persistió en el corazón del español argentino. Otras estrategias de resistencia: Juan José Saer, en París, vivió décadas hablando un francés sintáctica y léxicamente impecable, pronunciado con una fonética santafesina también impecable.

La italianización de la lengua fue una pesadilla de intelectuales en las primeras tres décadas del siglo XX. Temían tanto la mezcla de 'razas' como la de lenguas cuando éstas no se sometían al control de la cultura letrada. No hablar como un italiano, no dejar que los inmigrantes le transfirieran su vulgaridad al castellano. Y se trataba de inmigrantes que ni siquiera hablaban italiano, sino dialectos campesinos.

Las elites, por primera vez, veían gente extranjera frente a la que no se sentían inferiores ni debían rendir pleitesía. Hasta el arribo de miles de inmigrantes, los extranjeros eran juzgados superiores o iguales. No se italianizaba la lengua cuando se traducía la literatura italiana ni cuando se cantaba un aria de Bellini. La amenaza de italianización venía del lado de los dialectos 'bajos', pero no de la literatura o del teatro (Buenos Aires ovacionaba a Pirandello y consideraba cómico el cocoliche, una lengua de llegada, instrumental y popular, destinada a desaparecer). En esas primeras décadas del siglo XX se produjeron verdaderas amnesias de la lengua de origen, porque los inmigrantes que buscaban asimilarse a sus hijos, y que sus hijos se asimilaran todavía más que ellos, dejaban de hablarla, literalmente la olvidaban. El peligro de no integrarse del todo era mayor que el miedo a quedarse sin esa dimensión de su pasado.

Por lo demás, la idea de una pérdida cultural es más bien tardía, no sólo entre quienes la provocaron sino también entre quienes la soportaron con la convicción de que estaban ganando algo. No fue solamente la violencia simbólica la que les cortó la lengua a los inmigrantes de comienzos del siglo XX. Tenía lugar un trueque, en el que esos italianos no eran una simple masa amorfa y sin voluntad moldeada por las instituciones del país de llegada. Hablar bien era parte de un contrato que incluía el ascenso real o imaginario.

Los que ascendían y querían diferenciarse de sus orígenes, los profesionales que habían sido los primeros de la familia en ir a la universidad, decían: "Hay que hablar bien", lo que consistía en no italianizar. Decir "Voy del médico" implicaba una especie de muerte civil para las pretensiones de las capas medias en su infinito camino de diferenciación interna. A espaldas del desdichado se repetía: "Dice: voy del médico". Los hijos de inmigrantes, que tenían conciencia de las irregularidades fonéticas de sus padres, exageraban la "x", en palabras como "examen" o "expreso". Los más instalados social y culturalmente sabían que no había que exagerar: "expreso" se pronunciaba *espreso*, porque, si no, parecía que con ese plus sonoro se quería disimular algo. Y, por cierto, ese plus era una simulación de pertenencia, porque los italianos se "tragaban las eses", sobre todo las finales: cuidado con el plural, allí saltaba la mancha (por ausencia) que delataba el origen. Si se hablaba italiano, la consecuencia fatal era tragarse las eses finales del plural que en esa lengua no existen. Cortar con esa lengua, como quien corta con el foco de una infección que se desplaza contagiando. La lengua extranjera se padece como una enfermedad mimética: si uno se infecta, puede ser confundido.

Pero, pese al higienismo lingüístico, hasta que la escuela hizo su efecto, en las primeras décadas del siglo XX se escuchaba italiano (dialectos) en las calles de Buenos Aires y Rosario. Después, durante más de medio siglo, el castellano se impuso y las lenguas extranjeras pertenecieron sólo a tres espacios: los turistas, los muy viejos, los muy distinguidos social o intelectualmente. No había otras lenguas extranjeras en el espacio público. No se escuchaba *idisch* en Villa Crespo, salvo en los bares más tradicionales de la calle Corrientes, a la salida de las sinagogas y cuando, en el mercado de la calle Gurruchaga (hoy cerrado), las señoras pedían los ingredientes de algún plato y lo pronunciaban de un modo inimitable, que lo volvía más auténtico, como si la fonética le transfiriera un sabor.

Camino por la avenida Carabobo y se escucha coreano. Se escucha una radio china en los supermercaditos chinos del barrio que sea, y mucho más si se trata del bajo Belgrano. Si fueran lenguas europeas (excepto el vasco o el húngaro), podría reconocer algunos fonemas, conjeturar dónde comienzan y dónde terminan las unidades de sonido y, de allí, imaginar unidades de sentido (en fin, las descripciones más básicas de la lingüística). Si fuera húngaro o ruso, la entonación me ayudaría a imaginarme el carácter del discurso, aunque no su significado. En el caso del chino o del coreano la entonación también es indescifrable. Éstos son extranjeros *verdaderos*: ninguna ilusión de reconocimiento. Una vez atravesaba el altiplano entre Cochabamba y Oruro, dentro de la caja de un camión, con campesinos que comenzaron a hablar sobre mí en quechua. Quedé aislada dentro de una esfera infranqueable. A la noche, cuando la temperatura bajó del cero, me ofrecieron un trago y terminamos amontonados, cubiertos por un mismo revoltijo de mantas, pero siguieron hablando en quechua: experiencia de no entender el discurso en el que se habla de uno mismo, rara experiencia para una mujer blanca.

Los coreanos atravesaron exactamente la mitad del mundo para llegar a Buenos Aires. El castellano es tan ajeno como esa lengua en la que nada se corresponde con nada. Ellos están frente al castellano como yo frente al coreano, con una diferencia: no necesito aprender coreano. Asimetría entre locales e inmigrantes, porque para ellos no hay juego de equivalencias. Hasta que se empieza a conocer la otra lengua, todo es radicalmente intraducible, entre otras razones porque ignoramos cómo se parte su sustancia fónica: ¿dónde empieza y dónde termina una palabra?; su sustancia semántica: ¿hay diferencias entre mentira y engaño?, ¿entre valor y arrojo?; y los pliegues de cortesía de su gramática: ¿qué trato se da a unas personas y cuál a otras, como el vos y el usted en castellano?; ¿existen diferencias verbales con ese fin, como en castellano que, de todos modos, no tiene los mismos matices que el francés? Ellos se harán las mismas preguntas sobre las posibilidades de comparar una lengua con otra. Hay lenguas que son casi incomparables, advierten los lingüistas.

Experiencia de la calle donde se escucha una lengua *radicalmente* extranjera: una fantasía, si no se está atado a ella porque se habla la lengua del país. Pero ¿si ella, la extranjera, fuera toda mi lengua?

Tablero de go. En una esquina de Carabobo, a dos cuadras de Avenida del Trabajo, dos hombres juegan al *go*, y un tercero mira. Agito en una mano la máquina de fotos y sonrío. El que sólo mira me dice que no, aunque no estoy segura de que nos hayamos entendido. Uno de los que juega, el que lleva la gorra Nike y mueve las fichas blancas, dice que sí, y agrega: "Foto, sí". El otro, el de las fichas negras y campera inflable, ni se da vuelta para mirarme. Saco la foto.

No son los sirio libaneses del Once que describió Arlt. Son tres coreanos que ni viven ni comercian en el centro, sino en Flores sur, a diez cuadras de la villa o "barrio" Rivadavia. Ellos juegan al *go*, mientras que a quinientos metros, sobre Castañares, tiene lugar la feria de los bolivianos, entre Carabobo y Lautaro. Ni un coreano en ella.

El rectángulo de ciudad ocupado por los coreanos es más extenso que el de los sirio libaneses de 1930, pero también más raleado: avenida Eva Perón, Carabobo, Castañares y unas cuatro cuadras hacia avenida La Plata. Se concentran sobre todo en Carabobo: comercios e iglesias, muchas iglesias de las más variadas confesiones evangélicas que llevan como aditamento el adjetivo "coreano" y, en ocasiones, un cartel que indica la voluntad, aunque sea formal e institucional, de asimilación: "Próximamente, culto en castellano". ¿Para sus hijos que no querrían hablar coreano?, ¿para quién ese culto en otra lengua que casi no se escucha en el barrio?

Los tres hombres que rodean el tablero de *go* son una estampa. Las sillas en las que están sentados, el borde prolijo del cantero de cerámica donde se apoya el tablero, los dos cuencos donde las fichas suenan como si fueran monedas cuando las manos se hunden en ellas; las plantas del cantero y los autos son un fondo donde la calle de barrio porteño queda suspendida para abrirse como un nicho a la nacionalidad otra. Nada más típico que un coreano jugando *go*, excepto un japonés (el nombre es japonés, aunque el origen es chino). Un coreano jugando *go* es, para ojos argentinos, del mismo grado de tipicidad (¿cómo distinguir a un coreano de un japonés?, ¿distinguen los coreanos a un descendiente de italianos de uno de españoles?).

Buenos Aires encierra estas escenas 'típicas' de barrio de inmigrantes, donde lo extranjero, como sucede en la calle Carabobo, recubre sin demasiado 'colorido' los edificios de uno, dos o tres pisos anteriores a la llegada de los coreanos. Hace ochenta o noventa años, en la Boca (un barrio que los inmigrantes construyeron de manera original, porque allí no había sino diques y barro), unos italianos sentados en círculo, fumando toscanitos y jugando a la murra, darían el mismo efecto típico-exótico que los coreanos que ahora juegan al *go*. O las muchachas del interior, llegadas en los años treinta y cuarenta a servir en Buenos Aires, que los sábados a la tarde paseaban por Plaza Italia y se encontraban con sus comprovincianos, conscriptos en los cuarteles de Palermo (las "zunilditas" del poema de Cucurto citado antes). Después, en los años sesenta y setenta, empezaron a llegar los chinos y los coreanos. Buenos Aires no tenía entonces ni barrio coreano, ni restaurantes peruanos, ni barrio chino.

Los coreanos son hoy nuestros polacos, rusos, judíos, centroeuropeos. Los mayores de 40 años no hablan castellano o lo hablan muy mal. Sentados en el fondo de sus almacenes de comida coreana (grandes bolsas de algo que parece *popcorn* en la vidriera), con un vaso de té en la mano, son nuestro actual lejano oriente. En las verdulerías, los changarines y dependientes criollos, cabecitas, apilan los cajones.

Los jugadores de *go* ofrecen un plus de orientalidad, más intenso que los carteles escritos en coreano (y, con frecuencia, *sólo* en coreano). El *go* es puro 'oriente milenario', un mito tanto como un juego de estrategia basado en la paciente y agresiva ocupación de territorio con fichas blancas y negras, redondas y más anchas en el centro que, como diseño, también son 'oriente'. Si los dos hombres hubieran jugado al ajedrez (cuyo origen es igualmente oriental), no les habría pedido permiso para tomar la fotografía. No habría habido *imagen*, porque no es exótico un juego cuyos campeones son rusos o americanos y cuya imagen se ha separado de su origen. Cuadras después, hay un centro coreano de ajedrez, con una entrada parecida a la de un oscuro cibercafé. Llama menos la atención que los jugadores de *go* a pleno sol, que tienen algo de emblema de ocupación territorial para que todos vean que ellos son el barrio un domingo de mañana.

Los jóvenes que pasan por esa misma esquina, los que están en el maxiquiosco de enfrente, parecen actores de una película coreana filmada en cualquier parte (quizás ellos sí quieren que les digan Bruce o Yoko, quizás el cine sea más fuerte que cualquier sospecha de discriminación). Con ellos es otro mundo: hablan castellano porteño y su orientalidad está regida por la moda. Los jugadores callejeros de *go*, en cambio, sonrientes y monosilábicos en castellano, son 'lo que queda de Corea' para los ojos porteños. Ellos muestran sus fisonomías, su ausencia de castellano y su juego de *go* como certificando que estamos en el barrio coreano y que hay diferencias: "los ojos de una piba en el umbral del New Seúl Electrojuego, / el blanco amarillo de esos ojos por debajo de unos iris glaucos ponientes".[50]

Las diferencias son profundas respecto de los villeros que abundan en la feria de Castañares entre Carabobo y Lautaro, a muy pocas cuadras.[51] Ver Buenos Aires hoy con los ojos de un porteño de 1915 es un experimento interesante y marcado por la anacronía. Observar lo que no existía en la ciudad a fines de 1950, cuando parecía que la fusión de distintas migraciones se había completado. Miro a los coreanos como otros debieron de haber mirado a los italianos de la Boca o de esas pocas manzanas de la Pequeña Calabria, lindera con Belgrano, como Arlt miró a los sirio libaneses en el Once. La ciudad tiene menos de dos decenas de miles de coreanos,[52] y ellos son como una imagen familiar, y al mismo tiempo irreductible, de otro proceso que fue más impresionante cuantitativamente: el de los inmigrantes de comienzos de siglo. Sin embargo, todo es diferente: una comunidad de ojos rasgados, que no usa caracteres latinos en sus carteles, que proporciona feligreses a decenas de iglesias evangélicas (hay más de una por cuadra sobre Carabobo); es una especie de condensado de exotismo.

El jugador de *go* que autorizó la fotografía sonrió con esa amplia sonrisa oriental que, a los occidentales, les parece siempre un poco excesiva (¿no espontánea?, ¿los orientales no expresan sino que representan?, las preguntas del prejuicio, pero también las que se formulan cuando se perciben las diferencias y no se las puede explicar). Las mujeres de 40 años que caminan o salen de los templos tienen un recato que también parece excesivo. ¿Por qué encontramos exceso o faltante donde no se repiten los gestos acostumbrados? Es la percepción de lo exótico. Arlt descubría que los sirio libaneses hablaban en voz más alta, con inflexiones más agudas, pequeños gritos que le sonaban inarticulados. Las lenguas orientales enfrentaban a Arlt con lo incomprensible.

Los coreanos, en cambio, ya han sido debidamente estudiados: comunidad, identidad, diferencias, adaptación, problemas entre jóvenes y adultos, llegada y salida de la Argentina, formas (a veces denunciadas) de trabajo, explotación propia y ajena. Una masa de discursos académicos hace que los coreanos no sean nuestros italianos del siglo XXI. Es imposible caminar por Carabobo sin percibir un sistema de diferencias; atribuir esas diferencias a las identidades es una movida que en el *go* sería considerada inútil: ocupar dos veces, con doble cantidad de fichas, un mismo recuadro del tablero. Una movida tautológica. La calle Carabobo pertenece a una ciudad que antes no tenía carteles coreanos (exclusivamente en coreano) en sus vidrieras. Éste es el cambio. Nadie, como Ricardo Rojas en 1909, escribirá contra ellos: allí están los carteles coreanos, las comunidades religiosas coreanas, las pinturas y fotografías típicas en las vidrieras, las comidas.

Una línea de hierro separa a los coreanos de sus vecinos bolivianos que están comiendo fricasé en la feria de Castañares, el domingo a mediodía. Allí, una fila de gente cargada con bolsas de plástico introduce un viraje racial respecto de lo que se ve por las veredas de Carabobo. Al ras de la vereda se trazó el límite: coreanos de un lado, bolivianos del otro, ni un coreano del lado boliviano, ni un boliviano del lado de los coreanos.

Los coreanos sobre Carabobo van vestidos con ropa deportiva, según la moda de las capas medias o medias bajas pero no pobres; los adolescentes, lindos, muy *fashion*, flacos, serios, de mirada implacable; las familias salen de los templos con "sus mejores ropas". Y, de pronto, en la esquina de Castañares, los bolivianos hacen otro mundo, donde nada parece ni de capas medias, ni de adolescentes que miran videoclips pop e imitan gestos cortantes de *manga* y *animé*. Un límite neto hecho visible por la cola del colectivo: esta gente no es de por aquí cerca, ha llegado a la zona, ha comprado, ha comido, ha conseguido que, con las maquinitas de coser y perforar, le arreglen los zapatos al paso, en plena calle. Ahora se van a la villa del límite sur de la ciudad, o más lejos.

Esto sucedió en el mundo (y en esta ciudad, que parece tan alejada del mundo) en los últimos cuarenta años. Quizás por primera vez desde los años veinte, hay extranjeros ostensibles, aunque en cantidades limitadas por las limitadas promesas que la Argentina está en condiciones de garantizar. Los cabecitas negras no fueron exóticos, sino molestos o despreciables. Los coreanos no son molestos, y sólo si se descubre que explotan bolivianos resultan despreciables (es decir que no lo son por definición), pero tienen una huella exótica.

Por algo los dos coreanos jugando al *go* frente al vecino que sigue la partida son tan ajenos. No entienden lo que les pregunto, sonríen porque me entienden mal, sonrío porque sé que no me entienden. No son ajenos sus hijos, cuyas imágenes de referencia vi antes en el cine coreano; esos chicos siguen modelos físicos globales y están en todas partes.

Lo políticamente correcto sería no ocuparse demasiado de estas diferencias, ni poner el foco sobre ellas. Sin embargo, una imagen exótica tiene dos caras: su desplazamiento desde el lugar donde la imagen no sería exótica, porque este traslado marca una distancia espacial considerable, y su inclusión en un escenario barrial que no estaba preparado para esa imagen. Dos distancias.

Carteles secretos. Los carteles en caracteres coreanos cambian mi posición en la lengua. Los veo y me pregunto cuál de las dos es la lengua extranjera, qué es extranjero respecto de qué cosa designada, de qué anuncio o promesa. Las lenguas se desconocen entre sí y me hacen dudar sobre los objetos que, cada una por su lado, designan: ¿peluquería argentina y peluquería coreana en la calle Carabobo son lo mismo?

Esto no sucede tan intensamente con las lenguas occidentales, donde siempre está la ilusión del parecido (muchas veces falso) y queda el recurso de la hipótesis: creo que están diciendo tal cosa, y puedo imaginar cómo podría traducirse lo que dicen; aunque me equivoque, nunca estoy suspendida en un no saber irremediable. A las lenguas occidentales puedo imaginarlas sin conocerlas. La naturaleza de esta impresión engañosa no es la filología, ni el árbol indoeuropeo ni ninguna otra teoría lingüística. Se trata de un espejismo cultural en el que a lo lejos o en la cercanía reverbera Occidente. Pero los carteles en coreano me ponen frente a lo verdaderamente extranjero, eso que no permite recurrir al hábito ni a una triquiñuela sostenida por la creencia. El coreano no se toca con ningún repliegue lejano de mi propia lengua: no conozco nada, no reconozco nada. Esos carteles son, para mí, mensajes secretos en el espacio público. Cifrados: no individualizo los grafemas, ni siquiera sé si son grafemas o ideogramas. Lo irreconocible se convierte en dibujo, es decir que se carga de estética. El cartel apaisado que comienza (termina) con una flor pintada a la acuarela no se resiste a recibir este plus estético que le adjudico, porque lo ha buscado. Pienso: debe ser un poema. Los signos en ese cartel que culmina en la flor están trazados a pincel. El cartel lleva dos sellos, como los que se ven en las estampas japonesas. Si hago abstracción de la lengua, la estética me permite integrarlo en una serie, aunque ésta no me resulte familiar. Puedo imaginar qué escrituras son posibles para acompañar a la flor. Me acomodo a un exotismo mediano, un exotismo que tiene algo de falsa analogía.

Pero otro cartel, que se ve detrás de las cortinas, se resiste a cualquier hipótesis, como un mensaje que no me está destinado.

Supongo que quiere decir: “Atendemos por la siguiente puerta” o “Si busca al médico toque el primer timbre a su derecha” o “Se vende departamento; informaciones aquí”. Puede decir cualquier cosa para mí, y una sola para quienes son sus destinatarios: dos mundos separados por la escritura.

La sensación es rara. En la ciudad donde he nacido y donde vivo hay mensajes públicos que no comprendo, pero no sólo eso, sino que tampoco puedo captar en los signos ni el comienzo ni el fin de las palabras. La lengua escrita convertida en dibujo. Esto sucede en la calle que, según mi experiencia, es espacio común. Si encontrara los signos en coreano dentro de una biblioteca, de un templo o de un museo, la visión se adecuaría de inmediato al espacio que los contiene. Pero la calle me ha acostumbrado a esperar que, por lo menos en su superficie, sea inteligible.

En la fachada de un templo protestante coreano, un cartel en castellano anuncia la situación inversa: en tal fecha (muy reciente) comenzó el culto en castellano.[53]

¿Quiere decir que hay gente, a la que ese templo se propone adoctrinar, que no entiende coreano? ¿Los jóvenes del maxiquiosco de enfrente prefieren el castellano, así como los hijos de italianos lo prefirieron o se dieron cuenta de que esa imposición prometía más inclusión que la defensa de la lengua materna? ¿A quiénes se dirigen los pastores de la Iglesia Coreana del Evangelio Pleno cuando predican en español? La situación se invierte porque el cartel vuelve a poner mi lengua en el lugar de lo esperado, de lo preferido y de lo impuesto (de lo natural: porque así funciona, finalmente, la lengua).

"El señor es mi refugio", dice el cartel, a mitad de cuadra, en Castañares y Lautaro. Un comedor comienza en el local de la iglesia, también protestante pero boliviana, y se amplía sobre la vereda: fricasé, thimpu de cordero, chicharrón, picante de pollo. Estas palabras pertenecen a una zona internacional de la lengua, designan objetos conocidos a medias. Sin embargo, no producen el efecto de extranjería porque cualquiera sabe que pertenecen al español hablado en Bolivia y ahora acá en Buenos Aires, un español de vocales cerradas y sibilantes fuertes. Aunque su extranjería puede originarse en el hecho de que no ocupan la lengua de la misma forma en que se la ocupa acá: obligan a una expansión del paradigma: guiso de pollo, arrollado de pollo, pastel de pollo, culturalmente no es lo mismo que picante de pollo. Y allí está el thimpu de cordero, que no puedo ni traducir ni imaginar (¿empanada, embutido, asado, guiso, fiambre?). Thimpu suena como un instrumento musical, como el broche con que se sujeta un manto, como una hierba de la farmacopea americana, como el nombre que designa a una tormenta demasiado fuerte.

Cursos en Koreatown. Los carteles en la misma vidriera de la calle Carabobo ofrecen cursos en dos direcciones que quedan casi en los extremos opuestos de Buenos Aires: el Centro Cultural Coreano en América Latina, sito en Coronel Díaz entre Castex y Avenida del Libertador, y una entidad cuyo nombre no puedo entender (coreano absoluto), en Carabobo al 1100. La asimetría de ambas direcciones (Barrio Norte a la entrada de Palermo Chico y Flores tan al sur que, más o menos a seis cuadras, se toca con la villa) refleja la perfecta asimetría de los cursos.

En Coronel Díaz se enseña coreano y en Carabobo se enseña castellano, como si fueran dos instituciones que han entrado en un articulado proceso de traducción. En ambas se enseñan prácticas 'tradicionales' de la cultura: apreciación musical, arreglo floral y caligrafía en Barrio Norte; literatura, caligrafía y pintura en el sur, donde se aclara que esos cursos son "sólo en coreano". Para remachar el carácter de puente de la sede de Barrio Norte, un ciclo de cine se anuncia como "subtitulado en castellano".

En la calle Carabobo se apuntan necesidades concretas: a esos hombres y mujeres de más de 40 años se les ofrece el modo para entender un poco de castellano. En Barrio Norte, la oferta se extiende por el campo simbólico clásico de las instituciones que representan un país en el extranjero. Lo de Barrio Norte es previsible, inevitable. Los cursos en Carabobo al 1100, en cambio, dicen mucho sobre el barrio de inmigrantes. Su necesidad se percibe en la calle, cuando se escucha a los adolescentes coreanos hablando castellano y a sus padres o abuelos concentrados en su lengua de origen.

El cartel es una invitación a desconcentrarse, a volverse, de algún modo, bipolares, sin estabilizarse ya nunca más en una lengua porque la propia es radicalmente extranjera y la de acá será siempre ajena. Esos hombres y mujeres que hablan coreano saben que están hablando su lengua en una ciudad donde ella es incomprensible. No hay superficies de contacto: todo pasa por el trabajo, el mercado y el comercio, la esfera de lo pragmático.

No está bien visto referirse a la extranjería, lo cual me parece una estupidez. Esa gente que quizás vaya a los cursos de castellano de la calle Carabobo, a la vuelta de sus casas, se sabe extranjera, y decenas de miles de ellos también llegaron con la idea de que estarían de paso, idea que hicieron mucho más real los que se fueron en una nueva inmigración hacia el norte de América que los que se quedaron. Los cursos de castellano (sólo de nivel básico e intermedio, no existe nivel avanzado) tanto como una voluntad de acercarse a la lengua indican lo incomprensible. Para la primera generación, lo extranjero es, para siempre, una residencia precaria.

¿Qué haría yo si fuera inmigrante en Corea y tuviera un pequeño comercio?

Reuniones en Milán

Domingo por la mañana, pasan de las once. En los bancos, en los espacios libres que rodean la fuente y los jardines con árboles de la plaza que está a la derecha de la estación habrá un millar de personas. En el perímetro de la plaza, donde se puede aparcar, hay furgonetas y coches con matrículas de Europa del Este. La mayoría de los presentes son mujeres, las *matrioske*, como las llaman los principales diarios: ucranianas, moldavas y rumanas, además de alguna albanesa; relativamente jóvenes (sus edades oscilan entre los treinta y los cuarenta años), vestidas con esmero y con el mismo estilo, casi todas llevan grandes bolsas de plástico o de tela. Forman corrillos y leen juntas las cartas de sus hijos que se han quedado en casa, se enseñan las fotos de los parientes que han dejado lejos mientras comentan lo que ha crecido éste, o una anécdota de aquél, y se conmueven. Otras, sencillamente, conversan, intercambian información y consejos, se cuentan sus experiencias de supervivencia semanal... Otras se sientan en los bancos, se arriman y se abrazan. En cuatro de los diez bancos de la plaza se sientan por turno varias de ellas; alrededor, de pie, sus amigas las miran con atención mientras otra mujer, con peine y tijeras, hace de peluquera. Es un corte barato al estilo de los países del Este, y la satisfacción de hacer las cosas como "en casa". Cuando termine el día, detrás de los bancos el suelo estará cubierto de pelo... En medio de la plaza, en cuclillas en el césped, grupos de hombres y mujeres de varias edades, familias enteras, han preparado una merienda: en una alfombra de papeles de periódico cuidadosamente extendidos sobre el suelo húmedo, comen pan, embutidos, salsas y otros productos típicos de sus países... Al salir de la plaza hacia la calle Tonale, en la calle Ferrante Aporti vemos una docena de furgonetas modernas con matrículas ucranianas y moldavas. En los parabrisas tienen letreros escritos en cirílico que indican los destinos; a su alrededor se forman grupos de personas que cierran cajas de cartón o bolsas de plástico con precinto y cordel, y escriben con letra grande y clara la dirección del destinatario.[54]

Filipinos en Hong Kong

> En el corazón mismo de Hong Kong, la Statue Square, con sus imponentes torres de bancos, aspira a ser un monumento de la vibrante cultura de los negocios de una de las economías "milagro" de Asia. El domingo, sin embargo, cuando las oficinas están cerradas, la atmósfera del barrio se transforma: más de cien mil empleados domésticos filipinos convierten la *city* en lugar de esparcimiento con sello filipino. En "Home Cooking", la etnógrafa urbana Lisa Law describe la escena: el aire resuena con los gritos melodiosos "¡peso, peso, pesoooo!" que provienen de los agentes de cambio clandestinos; se escuchan las conversaciones de las mujeres, que hacen cola para hablar con sus familias frente a las cabinas telefónicas; en las veredas, expertas en belleza ofrecen peinados y manicuras; grupos de amigos posan para sacarse una foto o leen en voz alta las cartas que han recibido; el olor de los *kreteks* perfuma el aire; y las mujeres invaden las plantas abiertas de los edificios del banco de Hong Kong y de Shangai, donde, sentadas sobre tapices de paja, comen *pinaket* o *adobos.* Así el barrio central de Hong Kong se convierte en la "Pequeña Manila" durante un día. En cartas enviadas a los diarios, los miembros de la sociedad dominante denuncian, por motivos estéticos e higiénicos, esta "domesticación" del espacio público realizada por los trabajadores. Preferirían que sus servidores permanecieran fuera de la vista (y del olfato) y se oponen a que produzcan interferencias en la imagen de Hong Kong como centro financiero mundial.[55]

Mural en Castañares. Pintado frente a una placita muy verde y triangular, diminuta, en Castañares y Curapaligüe. No tiene nada que ver con el barrio: ni con el lado coreano, ni con el lado Flores sur, viejos y nuevos vecinos, casas o villas, bolivianos y migrantes de todas partes. Es sorprendente su inadecuación y, precisamente por eso, su impacto. El *tag* es perfecto, pero también la imagen entre publicitaria

e hiperrealista de la modelo. ¿Por qué los anteojos? Esa mujer es un exotismo y, por lo tanto, un suplemento, un goce, en este barrio. No es sexy, es distinguida, copiada de una publicidad, pero rescatada también de la publicidad: en la calle, la imagen no es banal. Nadie contesta mensajes en las direcciones de correo que, en la parte superior e inferior, completan el *tag*.

El mural, combinando *tag-art* y representación, usa dos lenguajes, tira hacia dos lados. Parece casi nuevo y es un gran plano bisagra. Casualidades de la ciudad, en el lugar bisagra entre coreanos y bolivianos.[56]

Parque Avellaneda y más allá. Lacarra y Juan Bautista Alberdi. A cuatro cuadras de allí está el parque y, al fondo, la que fue la quinta de los Olivera hasta 1912 y hoy es centro cultural y vecinal; dos destinos cumplidos en el curso de cien años: de jardín aristocrático a plaza de pobres y migrantes. Caminar esas cuatro cuadras por Lacarra es recorrer el filo que conduce a un límite. En la vereda de Directorio, ya sobre el parque, una feria de ropa barata, objetos, algunos libros, *bric à brac*; a la derecha, un parque de juegos infantiles y, en el pasto, los fines de semana, los grupos de migrantes que llegan desde Villa Soldati, Villa Riachuelo, Mataderos,[57] con sus bolsas de plástico, de donde sacan cacerolas, platos y botellas de refresco; sobre el pasto, los chicos comen

disciplinadamente una porción de fideos y mandarinas de postre. Cada grupo no forma una familia tipo, sino una combinación de varias edades y parentescos. A treinta metros de esta zona de *picnics*, unos puestos de artesanos y un "taller artesanal gratuito" donde cada domingo se ofrecen cursos de pirograbado, porcelana fría, madera, pintura sobre madera y artesanía en panamina. En el paredón que bordea uno de los costados del parque, un mural fechado el 10 de mayo de 2008, y todavía intacto, festeja el carnaval representado por "Los Descarrilados de Parque Avellaneda", mezclando la técnica del filete porteño con los colores de la bandera boliviana; en ángulo recto con éste, otro paredón se extiende a lo largo de doscientos metros hasta Lacarra; contra él, apoyan sus bártulos y sus calentadores las vendedoras bolivianas. Del otro lado de la calle, el polideportivo bordea Lacarra hacia el sur. Al doblar a la izquierda, antes de la autopista, la esplendorosa pollera verde nilo satinada y con mucho vuelo de una boliviana corta el gris mortecino de Avenida del Trabajo. Los restaurantes ofrecen, además de chicharrón, charquecán, patasca y fricasé, salteñas: entre el Parque Avellaneda y la cancha de San Lorenzo, las empanadas se llaman salteñas, como en Bolivia. El paredón que bordea el cementerio de Flores y las vías del premetro lleva hasta la villa 1-11-14, frente al estadio de San Lorenzo. Es la más grande de Buenos Aires. Quienes esperan los ómnibus hablan español con acento de las provincias o del altiplano y unas chicas dialogan en guaraní. La basura cubre las calles, flota en el aire, se amontona en los rincones. Por los pasillos de ingreso a la villa también hay puestos de ropa barata. Los quioscos en la calle, donde corren los perros sin dueño, están fortificados, tapiados, enrejados; casi no se ve lo que venden, pero siempre hay jugos de ananá y mocochinche. El perímetro exterior de la villa está compuesto por casas de tres pisos, sin revocar, pero con un rasgo que se repite por todas partes: puertas de calle en los pisos primero y segundo, y rejas. Estamos en el sur de la ciudad, la zona discriminada.[58]

Hechos policiales

> LIBERARON A 37 BOLIVIANOS QUE MANTENÍAN ESCLAVIZADOS EN UN TALLER TEXTIL DE LONGCHAMPS
> Vivían hacinados en una habitación de 24 metros cuadrados, les pagaban 1 peso por prenda confeccionada y los obligaban a comprar comida sobrevaluada a la suegra del dueño. Entre los rescatados hay seis chicos de entre 3 y 11 años. La Policía detuvo a tres personas, todos miembros de una familia. Treinta y siete bolivianos, entre ellos seis menores, que trabajaban en condiciones de esclavitud en un taller textil fueron liberados hoy en tres allanamientos realizados en la localidad bonaerense de Longchamps, partido de Almirante Brown.
> Fuentes judiciales informaron que las 37 víctimas vivían hacinadas en el mismo taller de tan sólo 24 metros cuadrados, que les pagaban un peso por prenda confeccionada y los obligaban a comprar comida a precios sobrevaluados en el mercado de la suegra del dueño del taller. Por el caso hay tres detenidos, todos miembros de una familia también de nacionalidad boliviana, aunque el máximo responsable del taller clandestino está prófugo y se lo busca en el norte del país, dijo a Télam el capitán Marcelo Andrada, a cargo del operativo.

El principal procedimiento se realizó en Bolívar 3331 donde fueron liberadas las 37 personas, entre ellas seis chicos de entre 3 y 11 años. Los 37 bolivianos no sólo trabajaban sino que también vivían y dormían en el mismo taller que estaba emplazado en una construcción precaria de 8 metros por 3. Durante los operativos, se secuestraron maquinaria textil, dinero y prendas, precisó Andrada.
La investigación se inició en noviembre pasado cuando una de las personas esclavizadas logró escapar y contó lo sucedido a los vecinos que radicaron la denuncia. La fiscal Karina López de Lomas de Zamora ordenó entonces tareas de inteligencia en el domicilio y escuchas telefónicas, y tras varios meses de investigación obtuvo hoy los allanamientos.
Los investigadores determinaron que las familias bolivianas que trabajaban allí eran traídas engañadas al país con la falsa promesa de trabajo digno y la obtención de la ciudadanía argentina. "Sin embargo, ni bien llegaban al país eran recluidos en el taller donde los tenían encerrados con candado", explicó la fuente judicial.
El lugar sólo cuenta con un baño de un metro por un metro donde hay un inodoro, al que sólo accedían pidiendo permiso, y las duchas estaban al aire libre. Las fuentes también contaron que a los trabajadores sólo se les pagaba un peso por pantalón y sólo al jefe del grupo familiar.[59]

Reclamo

Masiva protesta de trabajadores bolivianos y otras 11 clausuras por trabajo esclavo. Unas 1.500 personas realizaron una sentada en la avenida Avellaneda. Reclamaron la restitución de las fuentes laborales y también mejores condiciones de trabajo. Los cierres preventivos de hoy se suman a los 30 realizados entre lunes y martes. Los manifestantes pidieron mejores condiciones laborales.

> Se cumplió una nueva jornada de reclamos de la comunidad boliviana, contra las clausuras que está realizando el Gobierno porteño para terminar con la producción irregular de indumentaria. Las inspecciones de hoy dejaron como saldo otros 11 talleres textiles cerrados preventivamente. Por esta razón, esta tarde, unos 1.500 trabajadores de la comunidad boliviana protestaron con una sentada en el barrio porteño de Flores. Reclamaron por mejores condiciones de trabajo y la restitución de las fuentes laborales que se perdieron a raíz de las clausuras que se llevaron a cabo después del trágico incendio de Caballito, en el que murieron seis personas. La multitudinaria manifestación se desplazó por la avenida Avellaneda, entre las cuatro cuadras que separan las calles Cuenca y Nazca. Allí es donde se encuentra ubicada la mayor parte de los locales que venden las prendas elaboradas en los talleres textiles donde trabajaban. Al mismo tiempo, el gobierno porteño clausuraba 11 establecimientos de fabricación de indumentaria en el tercer día de operativos para combatir el trabajo esclavo.
> Funcionarios municipales y nacionales, con apoyo de la Policía Federal, controlaron 32 talleres, de los cuales 11 fueron cerrados preventivamente, a 7 se les labraron actas y otros 14 no pudieron ser revisados porque estaban cerrados. Las inspecciones se llevaron a cabo en los barrios de La Paternal, Flores, Parque Chacabuco y Caballito, y se suman a las 54 realizadas el lunes y martes, y a las 30 clausuras preventivas dispuestas por infringir, en primer lugar, normas vinculadas a "higiene y seguridad", según informó el gobierno porteño. En respuesta a la embestida oficial, los trabajadores se manifestaron alzando carteles con leyendas como "Aquí no hay esclavos, hay trabajadores", y reclamaron la continuidad de sus fuentes laborales.[60]

Barrio Charrúa. Para llegar allí, del lado de Pompeya hay que cruzar las vías por un paso precario (gran cartel del gobierno de Buenos Aires que anuncia su consolidación en octubre de 2008), sin señales de ningún tipo; se camina sobre el predregullo y los durmientes de las vías del ferrocarril, se pasa por cualquier parte, corriendo, haciendo rebotar una pelota, conversando con los amigos, en grupos de chicos distraídos. Si se llega desde el otro lado, el que corresponde a la cancha de San Lorenzo, se cruza, de modo más normal, la avenida Cruz. La gran extensión del polideportivo, sin embargo, hace pensar en la precariedad de las llegadas nocturnas en medio del descampado que forma el predio del club y la avenida.

Barrio Charrúa es ochenta por ciento boliviano. Fue una villa, y hoy sus manzanas tienen el trazado de la villa, pero las casas son de material y los pasillos están ordenados y limpios; hay carteles prolijos con la numeración que corresponde a los pasillos y a las viviendas interiores.[61] Se puede mirar hacia adentro de las manzanas sin sentir la vergüenza que produce la villa 1-11-14, donde cualquier pasillo se va angostando hacia adentro como si lo de afuera consistiera en el revestimiento de ladrillos de un interior fangoso y oscuro, con casillas entremezcladas cuyas paredes nunca son completamente verticales.

A la entrada del barrio, en la esquina de las calles Fructuoso Rivera y Charrúa, precedido por un patio, está el edificio de la Asociación Vecinal de Fomento General San Martín, donde funciona la biblioteca Marcelo Quiroga Santa Cruz, fundador del partido socialista boliviano, ministro que nacionalizó recursos naturales y fue asesinado en 1980 por los militares. El nombre de Marcelo Quiroga tiene ecos nacionalistas revolucionarios, pero está integrado en un conjunto de carteles sobre las paredes de la sociedad de fomento: horarios de atención médica y de los cursos de apoyo escolar, afiches de prevención de enfermedades.[62] Para el visitante exterior, que es mi caso, conserva una vibración revolucionaria, como la nota de un instrumento antiguo (ya que Marcelo Quiroga no es un héroe actual de la Bolivia indigenista de Evo Morales). Al lado de la sociedad de fomento, un playón en cuyo fondo hay un arco, el patio de juego de la guardería, una desolación de cemento agrietado. Por Charrúa, frente a la escuela y la plaza, una iglesia recién pintada, resplandeciente y sencilla: el santuario de Nuestra Señora de Copacabana.

PUESTA EN VALOR DE
AREAS DE ADMISION
ESPERA E INFORMES
CESAC Nº 32
haciendo
SAN MARTIN
BIBLIOTECA
SANTA CRUZ
GRAL SAN MARTIN

Tres hermanas franciscanas lo atienden: una argentina y dos bolivianas, del Beni y de Santa Cruz, respectivamente, es decir, llegadas de los llanos del Oriente, a diferencia de la mayoría de los que viven en el barrio, que vienen del occidente boliviano. Las hermanas no hablan quechua, pero han ido aprendiendo algunos cantos y el sentido de los rituales. Es curioso, pero en lugar de aprender quechua, una de ellas ha terminado su formación religiosa en Roma, donde vivió nueve años. La única imagen importante de la iglesia es la de la Virgen de Copacabana, encerrada en una vitrina, con su gran vestido blanco y su pequeña cabecita morena, de rasgos minuciosos. Enmarcada en neón por tubos de colores diferentes: a la derecha, los de la bandera boliviana; arriba, los de la argentina; a la izquierda, los del Vaticano. A un costado, sobre mesas, dos imágenes de bulto de las que se venden barato, San Cayetano y San Francisco; en las paredes, litografías borrosas del vía crucis; a ambos lados de la entrada, pizarrones con anuncios y pedidos (uno de ellos completamente dedicado a la madre Clara, fundadora italiana de la orden; el otro solicita gente que pueda hacer música). A la derecha del altar hay un pequeño teclado, dos guitarras (una acústica y otra eléctrica), un bombo y elementos folclóricos de percusión. Las partituras en los atriles muestran música común de iglesia. En la sacristía se está preparando una especie de lotería gratuita, y llegan las mujeres que van a participar en ella, porque es el domingo de los abuelos. Todo es luminoso y límpido.

Afuera, las manzanas de pasillo tienen algunas puertas abiertas a la calle, aunque las ventanas exteriores, donde funcionan los quioscos, están prolijamente enrejadas. En la manzana siguiente a la iglesia, una diminuta "Plaza del Niño", con mural desvaído, que muestra sol, cactus y otros vegetales autóctonos, altiplano arenoso y cóndor inevitable, está completamente cerrada por rejas de quince metros de frente. Al lado, un descampado con fondo de construcciones bajas de ladrillos y techos de chapa, que parecen habitaciones unitarias; a cada lado de la que está en el centro, dos parlantes gigantescos suenan a todo volumen.

Entra y sale gente con botellas de gaseosas y algunos nos apoyamos en una parecita para mirar: dos chicas con pollera de terciopelo azul bordado con arabescos y cintas plateadas, que se han puesto sobre los pantalones, se acercan marcando el paso. Una mujer embarazada va guiando a otra chica, muy concentrada, de pollera roja con alamares dorados; avanzan y retroceden con pasos cortos, de ritmo sencillo, practicando no una figura de danza sino el avance sosegado y sin contorsiones de una comparsa. La embarazada baila con la de pollera roja, y las que llegan, que han traído una botella, la dejan en el piso y forman atrás de las dos primeras.

Las bailarinas tienen un estilo grave, aunque, si dejan de bailar, se vuelven joviales. El ensayo y el baile mismo las ensimisman en sus movimientos ajenos a la insinuación o la provocación, como si, por lo menos mientras ensayan, fueran vírgenes no tocadas por la cultura televisiva del cuerpo. El campito es desolado y los parlantes parecen un aterrizaje tecnológico de emergencia sobre el piso de tierra seca e irregular. Sin embargo, la impresión de invasión tecnológica es falsa, porque desde el corazón de las manzanas se proyectan los sonidos de otros muchos parlantes que marcan el ritmo de otros ensayos. Falta poco para el día de la Virgen.

Los derechos del Niño

Domingo lluvioso. La Virgen de Copacabana sale del templo cubierta con un plástico transparente. Bajo la lluvia, recorre el barrio Charrúa y vuelve, también bajo la lluvia, a la iglesia. En su camino, la Virgen se ha detenido en la puerta de algunas casas, donde una mesita cubierta con mantel rojo de telar la esperaba para que se posara un minuto y recibiera el homenaje de una nube de incienso y de pétalos.

Las gradas, que comienzan frente a la iglesia y terminan frente a la escuela, están casi desiertas; todos los presentes han entrado con la Virgen a la capilla. En la plaza, los camioncitos amarillos de la Western Union se preparan para repartir sus volantes entre quienes vengan a la fiesta: gente que hace mensualmente sus giros a Bolivia y que, evidentemente, representa un negocio. Al lado de la Western

Union, bajo un gazebo, el mostrador de *Renacer; El periódico de la colectividad boliviana en Argentina.*

Cuando termina la misa y va a empezar el desfile de las fraternidades, milagrosamente, sale el sol; la virgen se instala, sana y salva, en el atrio de la iglesia, cubierta de billetes y de pétalos: "nuestra mamita". Como en su paseo anterior bajo la lluvia, lo primero que se pide es paz y unidad para Bolivia; luego, sabiduría para los gobernantes de allá y de acá. Las gradas están ocupadas; la calle Charrúa se ha llenado hasta avenida Cruz, que poco después va a ser cortada, por completo, cubierta por los puestos de comida y de ropa, intransitable; ya es difícil entrar o salir del barrio, o avanzar dentro de un cuerpo a cuerpo amable y festivo. Casi no hay espectadores del mundo exterior a la comunidad boliviana o de origen boliviano; las fraternidades llegan de los barrios adyacentes o de más lejos.

El desfile sólo es monótono para quien no conoce las diferencias entre morenadas, tinkus, tobas y caporales; ni distingue, en el vertiginoso remolino de las polleras que llevan las cholitas, la elaboración barroca del bordado; ni está al tanto de los cambios introducidos por nuevas danzas que en Bolivia son de capas medias blancas y, en Argentina, de cholos.[63] Como todo ritual, se sostiene en la repetición con variaciones más que en la innovación. Sin embargo, la danza de los caporales es nueva, ha sido inventada en Bolivia, de donde ha llegado a Barrio Charrúa.

Observado desde afuera, el desfile de fraternidades es interminable, vistoso, barroco, repetido, melancólico, enérgico, ruidoso, previsible. Las bandas de bronces, que preceden a casi todas las fraternidades, caminan reconcentradas bajo el sol, la lata de cerveza o la botellita de agua en el bolsillo, con las corbatas que han comenzado a torcerse sobre las pecheras impecables de las camisas idénticas. Para quien no sabe de esa música (o sólo reconoce los transformados temas pop que también suenan), todas las marchas tienen un timbre parecido. Desde los altoparlantes instalados sobre un escenario en el atrio de la iglesia, la voz de los locutores no calla: saludo a cada una de las fraternidades, breve evocación de su pasado y de su renombre, felicitaciones, llamados al fortalecimiento de lo boliviano y la protección de la "mamita", en cuyo honor cada fraternidad hace una detención breve; frente a la imagen de la virgen se arrodillan o se inclinan los bailarines, tocan el piso, describen con el brazo un semicírculo que los integra en un mismo espacio simbólico, y siguen, porque son más de setenta los grupos que han de desfilar por este mismo sitio.

La 'cualidad boliviana' de la fiesta convoca a quienes son definidos y se definen como miembros de un espacio diferente del resto de la ciudad. Es una cualidad que interpela sólo a quienes la poseen, aunque sea de modo intermitente. Probablemente eso sea la identidad, no un compacto a prueba de fisuras, sino la reiteración de una intermitencia, lo suficientemente poderosa y periódica como para constituirse en impulso de los que bailan en las fraternidades y se muestran ante quienes se identifican con el brillo material y simbólico de esa intermitencia.

El segundo domingo de octubre es un día identitario, importado desde Bolivia por migrantes que llegaron a Barrio Charrúa sin la estatua de la virgen que hoy están homenajeando; que más tarde, en la segunda mitad de la década de 1960, fueron a buscar esa imagen para anclarla en un barrio. Por ese acto deliberado, por esa búsqueda consciente de un ancla, la Virgen de Charrúa se convirtió, a su vez, en el ícono de la festividad anual de otros miles de bolivianos que no viven allí.[64] La identidad, es decir, una cierta 'cualidad boliviana', se exhibe en la fiesta que, según algunos, contribuye a consolidarla o, por lo menos, a recordarla.

Pero el escenario de la fiesta es el barrio, sobre el que muchos coinciden que la trama comunitaria ha sido tocada a fondo por el 'mal argentino': la crisis, social, económica, moral, institucional, de los barrios pobres. Charrúa se ha argentinizado, no porque se haya dejado de bailar en octubre frente a la capilla. ¿Qué potencial identitario frente al paco? "El barrio cambió en sentido negativo. Hasta hace alrededor de cuatro o cinco años en altas horas de la noche usted podía transitar por sus calles habitualmente mal iluminadas, hoy no es una recomendación saludable para su integridad material y física. Muchos jóvenes del barrio son víctimas de ese flagelo social que es el consumo del 'paco', no hay espacios públicos en condiciones, el Centro de Salud hoy está en peligro de cerrarse o ser sacado del barrio, y así pueden enumerarse largamente las carencias presentes del barrio, donde la palabra comisión vecinal es sinónimo de mala palabra."[65]

La Virgen de Copacabana seguirá teniendo su domingo de octubre, su novena y su fin de fiesta. Pero sería un milagro que ella, la "mamita", pudiera evitar solamente con la fuerza simbólica de una identidad siempre precaria (toda identidad lo es) el golpe de lo que sucede a diez cuadras de allí, en la villa de donde, me dicen, "llegan los pibes para venderles 'paco' a los nuestros, en esta esquina, justamente", en la esquina de la capilla.

La identidad como intermitencia es un rasgo del que, salvo por racismo, no puede excluirse a estos migrantes, ni mucho menos a sus hijos y nietos, como si los cambios culturales fueran siempre una violencia impuesta o sólo hubieran sido un privilegio de las primeras olas de inmigrantes, las europeas, que entraban y salían intermitentemente de sus culturas de origen y las dejaban de lado cuando, según cálculo o presuposición, en el sacrificio de lo propio se perdía menos. La intermitencia quizás alude precisamente a eso: ser parte, durante unas horas y varios meses al año, de una fraternidad es mucho mejor que no serlo, en barrios donde la pertenencia a cualquier cosa está amenazada. En la fraternidad se ensaya, se escucha música, se entrenan los pasos, se baila, alguien enseña y alguien aprende, la gente se reúne y es considerada como miembro de un grupo indispensable para la fiesta:[66] eso es una identidad práctica en zonas extremas de la ciudad, donde las acciones enumeradas son excepcionales, azarosas o prometen peligro. Una identidad es más que un adjetivo de pertenencia; también es un escudo de protección física.

Feria boliviana. Escribe Tamara Montenegro:

> Al pasar por la calle José León Suárez del barrio de Liniers es inevitable trasladar el pensamiento a una vía de cualquier ciudad de Bolivia. Locales donde se venden desde ropa interior hasta las más variadas especias son atendidos por sus propios dueños bolivianos. Pero no sólo están en el lugar quienes supieron instalarse hace más de tres décadas y pudieron hacerse de un futuro estable, sino que también conviven quienes llegaron con

las últimas corrientes migratorias y viven indocumentados, explotados y discriminados por una sociedad argentina que los excluye.

Alfredo Lara es argentino, hijo de padres bolivianos y casado con una ciudadana de Cochabamba. Es dueño de Jamuy, uno de los bares de comidas típicas bolivianas más concurridos de Liniers.

Hace 30 años que los hermanos Lara llegaron al barrio con sus respectivas familias y pusieron comercios. Primero, tenían ferias en el mercado de frutas y verduras que funcionó en la zona hasta fines de los ochenta. Cuando cerró sus puertas, los feriantes que quedaron desalojados pusieron sus puestos en las calles, algo que generó la bronca continua que existe entre éstos y los vecinos, quienes se quejan de la basura acumulada y los malos olores.

La situación era insalubre con la feria en la calle, pero los feriantes no podían dejar de trabajar y desde el Gobierno de la Ciudad no había una respuesta que solucionara el problema de los trabajadores ni las quejas de los vecinos. Recién en 1991 la situación se normalizó a partir de que fueron otorgados a los comerciantes locales donde vender sus mercaderías.

La zona de ventas de mayor afluencia quedó determinada en las calles José León Suárez y Ramón Falcón, corazón del barrio de Liniers, y todo se fue organizando, pero los vecinos siguieron en disputa con los vendedores. Lara es vocal primero de la Comisión del Centro de Comerciantes Bolivianos, institución creada para luchar por los derechos y las obligaciones que debe cumplir la colectividad para tener sus negocios en regla. "Cada 60 días pedimos una inspección de la DGI para que vengan y verifiquen nuestros negocios. Así cumplimos con las leyes y no tenemos problemas con el Gobierno de la Ciudad", comenta Lara, quien aclara que antes de crear esta organización los inspectores los multaban hasta "por estar despeinados".

A simple vista, estos negocios son una puesta en escena de los productos más variados que pueda haber y las instalaciones de los locales son realmente precarias. Frente a esta realidad, producto de la crítica de los vecinos, Lara reconoce que “El boliviano no es una persona higiénica y esto es una cuestión cultural. No organiza su mercadería sino que la muestra toda junta, porque la mentalidad es que el cliente compra con los ojos y por eso tiene que tener toda su elección a la vista”. Hoy existen alrededor de 16 negocios que venden productos sueltos a lo largo de la calle José León Suárez al 100, y casi un millón de personas transcurren por semana por la zona comercial y compran en negocios bolivianos.

Los “paisanos”, hermanos de la misma tierra, copan los sábados los bares del barrio donde el api y el fricasé, platos tradicionales de Bolivia, son parte del menú. Jamuy, que quiere decir en quechua “venga”, cierra sus puertas a eso de las 15, porque se llena la capacidad máxima de 200 personas. Por la noche, la diversión comienza temprano en las bailantas bolivianas. La elegida por excelencia es el Mágico Boliviano, donde suelen tocar bandas de música tropical que traen un poquito de Bolivia en sus letras y contribuyen a la alegría de muchos para cerrar una semana de arduo trabajo. A pesar de que una noche en el Mágico es normal a la de cualquier otro boliche bailable; baile, diversión, tragos, una que otra pelea, al salir del lugar, desde algún auto que pasa por allí les gritan: “¡Bolivianos de mierda!”. Datos oficiales del Instituto Nacional contra la Discriminación, la Xenofobia y el Racismo (INADI) revelan que el 34 por ciento de las denuncias por discriminación se refieren a la nacionalidad y, entre las colectividades, los bolivianos son los más discriminados en Argentina.

La indocumentación es otro de los problemas. Según datos del Indec a partir del censo nacional de 2001, 233.464 bolivianos están empadronados en este país. Pero el presidente de la Federación Integrada de Entidades Bolivianas (FIDEBOL), Luis Moreira, asegura que la suma de bolivianos “legales” en el país es de aproximadamente un millón quinientos mil, más la descendencia.

> De acuerdo a estimaciones, alrededor de quinientos mil ciudadanos bolivianos viven clandestinamente y esta situación es fruto de la explotación laboral que padecen. [...] Los bolivianos llegan a trabajar hasta 18 horas por día en la construcción y en talleres textiles, y con el sueldo que ganan no satisfacen sus necesidades básicas, por eso muchos viven hacinados en villas miseria de la Capital Federal y del Gran Buenos Aires.[67]

Especias y hechizos. La mujer vende hechizos, piedras blancas, grises y negras, té, pomadas en esas cajitas redondas de colores que se compran también en los puestos callejeros de verdura por toda la ciudad. Con voz dulce, mientras entretiene a su hija, explica: "Este hechizo limpia todo; primero hay que hacer un té grande con las hierbas y mojarse todo el cuerpo. Después, con la ayuda de alguien, hay que trazar una cruz en el piso con el agua que queda. Y se limpia todo. Cuesta 14 pesos". Quien la escucha va a volver la semana que viene a comprarlo.

A nadie le importa que yo tome algunas fotos. Bidones de plástico llenos de jugo de frutas secas, pelones o ciruelas, rosquitas, buñuelos y "salteñas", esas empanadas más grandes, más jugosas, con más cebolla de verdeo que las pampeanas. La mercancía no está acomodada en el piso, como en las calles de otros barrios de Buenos Aires, sino que desborda en ríos sólidos, glaciares vegetales, desde el interior de los locales hacia la vereda. Geométricamente apilada, como en Cochabamba y en Oruro, en La Quiaca y en los comercios bolivianos de Jujuy. Las frutas y verduras no están encajonadas pero tampoco se dispersan por cualquier parte, sino que se muestran disciplinadas en sus montículos.

A esta altura, nadie puede asombrarse demasiado con las pirámides de yuca o los mangos, los ajíes picantes o las bolsitas de condimentos. Las bolivianas hace mucho tiempo que los venden por todas partes y, en el ciclo de la moda que atraviesa los gustos alimenticios, así como ya le tocó salir a la superficie a la comida peruana, en cualquier momento las especias bolivianas se van a convertir en un bien buscado por jóvenes cocineros profesionales que hicieron su aprendizaje en Barcelona.

En pleno centro de Liniers, la calle José León Suárez, a partir del cruce con Ramón Falcón, no es un caos, ni un volcán de olores exóticos, ni una montaña de mugre. Las mercancías llegan hasta la vereda desde los fondos de negocios establecidos, con caja registradora. La gente que va y viene llena la calle, pero en materia de ambulantes, en esta feria boliviana hay muchos menos que en unos pocos metros cuadrados de Recoleta o Parque Centenario.

Palitos, cubitos, triangulitos, bolitas de masa porosa de todos los colores, en grandes bolsas de plástico apiladas en una cantidad que hace suponer la magnitud de la venta; hay más de estas bolsas que de cualquier otra cosa. Lo salado se une, de modo inhabitual, a lo multicolor: esos bocaditos de masa horneada (grasa, harina, queso, sal) tienen los colores de las grajeas de chocolate y de los caramelos de fiesta infantil. Lo salado y lo colorido se sintetizan también en las bolsitas plásticas rellenas de especias picantes, en los ramitos de ajíes y locotos. Las veredas de los negocios son un cotillón desbordado sobre el espacio donde caminan sus clientes. Redondas galletas blancas y fucsias, entre envases transparentes de maníes, pasas y papas fritas, limones, florcitas con un botón amarillo, aterciopelado, en el centro; raíces y harina de jengibre, retamas, grandes vainas verdes, porotos, lentejas, nueces, atados límpidos y montones crujientes.

Alcancías de cerámica con forma de chancho por todas partes, decoraciones para tortas de cumpleaños, *souvenirs* con los colores bolivianos para entregar a los invitados a una fiesta. Todo en grandes cantidades, con la marca de la fabricación industrial, muy lejos de la pretensión de una artesanía trucha que se ve en otros barrios. En la última esquina de la feria, ocupada por un local de pasajes a Bolivia, giros a Bolivia y cambio de divisas, todo rematado por carteles con los colores de la bandera boliviana, una mujer vieja, con una trenza que le cae sobre el hombro, vende cacharros y cacharritos de barro, probablemente comprados al por mayor, que sostienen todavía la idea de lo artesanal, de algo hecho directamente por las manos de un habilidoso.

Negocios de abalorios: ristras de cascabeles de latón y ristras de ajos, animales de peluche, osos amarillos con cintas rojas y verdes, miniaturas en falsos cristalitos plásticos, muñecas con sombreros de todas las regiones de Bolivia. Hay brillos y una alegría expansiva en esos estantes donde se apila lo que sería una pesadilla cursi si, al mismo tiempo, no fuera una promesa de abundancia y riqueza, la imagen de que esos objetos son la alegoría de un decoro hogareño hecho posible por un plus económico que permite un gasto que huye de la necesidad. Un maniquí viste un disfraz, enclaustrado entre dos animales gigantescos que repiten el color amarillo. Todo reluce, ordenado y envuelto en plástico, como esa muñeca, una especie de *barbie* morocha y redondita, con su sombrero blanco festoneado con alamares dorados.

En un galpón decorado con un mural sincrético de Santa Rosa de Lima (¿esa santa peruana donada por quienes construyeron el tinglado es una ofrenda de buena vecindad entre migrantes?) y la Virgen de Copacabana, flanqueadas por la Virgen de Luján y San Cayetano, se vende ropa de marcas desconocidas e imitaciones. Suena la cumbia. Enfrente, en una galería, el menú del restaurante del primer piso ofrece la lista completa de la cocina altiplánica. También suena la cumbia. A la calle, dos restaurantes (Jamuy y la Salteñería), música pop tropical y pilas de pan redondo. En los televisores de todos los negocios se pasan imágenes de cantantes pop bolivianos. Campo de celebridades ampliado.

No hay olor a grasa ni a fritura, el aire tiene rachas de perfumes vegetales y de especias, rachas de música, rachas de español sibilante. Casas de viajes y de cambio. En una de ellas, leo: "Con la compra de tu pasaje a la Quiaca, Villazón, Santa Cruz, Pocitos, Jujuy y Salta te regalamos: 1 empanada y 1 jugo mocochinche". Me quedo pensando en la palabra "mocochinche". Campo lexical ampliado.

En las esquinas me entregan tarjetitas, que agradezco y conservo. Don Amadeo, hechicero del amor, trabajos infalibles para el amor con el embrujo chamánico indio. Doña Clara, tarot indígena, lectura de hojas sagradas, rezandera indígena hechicera. Doña Dora te hace ver el nombre del amante de tu pareja; limpieza y florecimiento de casas, negocios y talleres. El aborigen indígena Yatiri, consejero psicoespiritual, divorcios, celos, infidelidades, ceremonias y rituales andinos. Hermano Juan Domingo, maestro indígena, consejero, rezandero. Como los tarotistas y lectores del porvenir en la palma de las manos que trabajan en Recoleta.

4. Versiones de ciudad

I. TEORÍAS

En la década del cuarenta, su período clásico, Borges escribió ficciones que pueden leerse como 'teorías de ciudad', no referidas a la ciudad real, sino a la ciudad como idea. Imagina espacios cuya organización obstaculiza o impide su conocimiento: geometrías anti-intuitivas e inconcebibles excepto desde perspectivas no humanas o de seres que han perdido su humanidad. Geometrías aterradoras.

"La biblioteca de Babel", compuesta por hexágonos, responde a la paradoja de la esfera de Pascal, cuyo centro está en todas partes y su límite exterior en ninguna.[68] El universo, "que otros llaman la Biblioteca", es un infinito inagotable; y la Biblioteca, caracterizada por la repetición de módulos iguales, el espacio sin cualidades de la urbanización moderna, donde los lugares conocidos por experiencia son devorados por la geometrización expansiva de una ciudad que crece igual a sí misma en cada una de sus partes. Espacios sin cualidades, amenazadores porque en ellos no es posible orientarse. Los lectores de la biblioteca de Babel se desplazan por hexágonos imbricados en un acoplamiento potencialmente infinito o, como prefiere hipotetizar el narrador, ilimitado y periódico, adjetivos que no obligan a suscribir la idea de infinito, pero que designan lo interminable, aquello que no puede ser recorrido por completo en el tiempo de una vida humana. De la Biblioteca no puede trazarse un mapa a partir de un recorrido. El único mapa es un esquema producto de la deducción: un mapa teórico, nunca la carta de quien ha pisado el terreno que el mapa representa. Su geometría regular no es verificable empíricamente, sino abstractamente deducible. Un laberinto transparente, si se admite el oxímoron, donde la transparencia del módulo no promete la posibilidad de entender el todo de la composición.

En el laberinto plano del rey árabe de "Los dos reyes y los dos laberintos", "no hay escaleras que subir, ni puertas que forzar, ni fatigosas galerías que recorrer, ni muros que te veden el paso"; el laberinto es el desierto, idéntico e ilimitado, donde los mapas no sirven, porque la orientación depende de otro tipo de señales, que la carta no representa, ligadas a la experiencia y a la memoria de la experiencia, pero irreductibles a la representación. En "La casa de Asterión",[69] el laberinto es vasto como una ciudad, y sus motivos también se repiten: "Todas las partes de la casa están muchas veces, cualquier lugar es otro lugar. No hay un aljibe, un patio, un abrevadero, un pesebre; son catorce [son infinitos] los pesebres, abrevaderos, patios, aljibes".[70] La casa de Asterión, construida por Dédalo, el más diestro artesano, es el mundo. Borges ha insistido en la metáfora mundo/laberinto/ciudad para soslayar el enigma que plantea Abenjacán el Bojarí: "No precisa erigir un laberinto, cuando el universo ya lo es. Para quien verdaderamente quiere ocultarse, Londres es mejor laberinto".

La casa/laberinto/mundo de Asterión está rodeada por otro espacio hostil y plebeyo, el de la ciudad, en la que Asterión algún atardecer se aventuró, pero: "si antes de la noche volví, lo hice por el temor que me infundieron las caras de la plebe, caras descoloridas y aplanadas, como la mano abierta". Asterión tiene cuerpo de hombre y cabeza de toro. Naturalmente su "cara" no es plana y al descubrir esas caras "aplanadas" siente miedo frente a una humanidad a la que él no pertenece. Ese mismo adjetivo ("aplanadas") corresponde al vocabulario con que se estigmatiza al mestizo y al cabecita negra, al chino. El adjetivo se ubica en una serie que remite al mestizo que llega a la ciudad de los blancos. En "Las puertas del cielo", cuento de *Bestiario*, publicado en 1951, cuatro años después del relato de Borges, Cortázar describe las milongas populares de Buenos Aires: "las mujeres casi enanas y achinadas, los tipos como javaneses o mocovíes", esos rostros aplanados son también lo otro. La amenaza está afuera o llega desde afuera.

En los años cuarenta, como su contemporáneo Martínez Estrada, Borges sintió el malestar *en* las ciudades y el malestar *de* las ciudades. En "El inmortal", hombres de la "estirpe bestial de los trogloditas" destruyen una ciudad perfecta para construir con sus restos una ciudad de pesadilla, repetitiva y desorientadora, carente de proporción y de sentido, hostil a la perspectiva. Después de atravesar un laberinto, se llega a la "nítida Ciudad de los Inmortales", más temible que el laberinto, porque el laberinto dispone su arquitectura en relación con una finalidad (la de ocultar un itinerario), mientras que la Ciudad "carecía de fin. Abundaban el corredor sin salida, la alta ventana inalcanzable, la aparatosa puerta que daba a una celda o a un pozo, las increíbles escaleras inversas, con los peldaños y la balaustrada hacia abajo". Una cárcel de Piranesi, enloquecida.

Los trogloditas destruyeron la ciudad "rica en baluartes y anfiteatros y templos", bebieron del agua que los volvió inmortales y se barbarizaron. La inmortalidad y la destrucción de la Ciudad están imbricadas. Reemplazaron la Ciudad destruida por otra edificada con sus restos, que combinan fragmentos de las ciudades clásicas, sin razón, ni forma, ni proyecto; una ciudad imposible de recorrer, aislada por un laberinto, inexpugnable. Y podría decirse que en la misma secuencia perdieron el lenguaje. Sin ciudad, sin lenguaje, los inmortales viven en cavernas, comen serpientes, olvidaron todo.

Esta parábola puede leerse como aporía urbana y aporía del urbanismo. En dos sentidos. El primero es que la ciudad perfecta es intolerable; su belleza y su orden, como en la ciudad ideal de Piero della Francesca (1470), intimidan porque materializan una abstracción inabordable por su perfección y simetría, ajena a las cualidades de un paisaje humano. La ciudad ideal es la ciudad desierta, sin atmósfera, sin tiempo futuro. Sus cualidades implican la conclusión de lo urbano, no su dinámica; el orden y la armonía son un pasado que pesa mucho más que cualquier estado de imperfección. Borges fue siempre un crítico de las utopías. Ésa es la dimensión liberal de su pensamiento, en la medida en que la postulación de lo perfecto implica la radical exclusión del otro, del imperfecto; la perfección es teológica o jacobina y Borges, se sabe, es agnóstico y pesimista. Entre dos tragedias, un mundo abandonado por los dioses locos que lo crearon y un mundo de pura razón, no hay salida.[71]

El segundo sentido explora las consecuencias de la destrucción de la ciudad. Si la ciudad perfecta es un sueño de la razón con espacios inhabitables y simetrías tan persecutorias como las disparatadas asimetrías de la ciudad de los inmortales, su destrucción es el ocaso de la convivencia: sin ciudad no hay sociedad. Los hombres no soportan ni la perfección ni la inmortalidad. Borges sabe que los hombres no pueden vivir como dioses.

Sin embargo, el problema del relato es la inmortalidad como condena y sólo lateralmente la perfección inhabitable. La Ciudad perfecta es una expansión en la trama de la que, por lo menos hipotéticamente, Borges hubiera podido prescindir. En ese caso, el relato habría expuesto sólo la consecuencia de que los hombres se volvieran inmortales: el tiempo infinito es insostenible; sin muerte no hay moral ni sociedad, no hay elección, no hay libertad; la muerte funda la república y la polis. Borges hubiera podido presentar una ficción filosófica sobre estos temas sin incluir la destrucción de la Ciudad perfecta. En ese caso, se hubiera tratado solamente del aspecto siniestro de la infinitud: la barbarización como consecuencia de la ausencia de límites a la duración de la vida.

Incorporar al relato la destrucción de la Ciudad pudiendo, hipotéticamente, no hacerlo le da al episodio un plus de significación, porque demuestra que es necesaria en un plano que no pertenece a la trama sino que llega a ella como puesta en figura de una reflexión sobre lo social: la ciudad perfecta es inhumana y, por eso, debe ser destruida incluso como proyecto; sufre el destino irónico de ser destruida por hombres que, al convertirse en inmortales, han dejado de ser humanos. Los hombres sólo pueden tolerar ciudades imperfectas.

La Ciudad destruida por los inmortales fue construida deliberadamente, en todos sus detalles, templos, anfiteatros y baluartes, sin azar ni casualidades. Este ideal utópico siempre corre el riesgo de convertirse en amenaza o en pesadilla. La ciudad que los inmortales construyen con sus restos es "inextricable", tanto como lo es una ciudad perfecta a la que, desde lejos, parece imitar. Los espacios que se atienen a una regularidad imperturbable se vuelven siniestros. La biblioteca de Babel es tan regular que, en ella, sólo es posible confundirse y desorientarse. Como la esfera de Pascal, quien la recorre no discierne lo que es arriba, ni abajo, ni norte o sur, porque el centro está en todas partes. Como el desierto-laberinto, el límite exterior es inalcanzable. Borges fue el pensador de la distopía.

II. CIUDADES ESCRITAS

Entre la ciudad escrita (en el sentido en que Roland Barthes se refería a la "moda escrita")[72] y la ciudad real hay una diferencia de sistemas materiales de representación, que no puede ser confundida con frases fáciles como "la literatura produce ciudad", etc. Los discursos producen ideas de ciudad, críticas, análisis, figuraciones, hipótesis, instrucciones de uso, prohibiciones, órdenes, ficciones de todo tipo. La ciudad escrita es siempre simbolización y desplazamiento, imagen, metonimia. Incluso en los casos excepcionales en que la ciudad real se ajusta a un programa previo (la Chandigarh de Le Corbusier, la Brasilia de Costa y Niemeyer), el desfase entre proyecto y ciudad es la clave misma del problema de su construcción. Escribir la ciudad, dibujar la ciudad, pertenecen al círculo de la figuración, de la alegoría o de la representación. La ciudad real, en cambio, es construcción, decadencia, renovación y, sobre todo, demolición...[73]

Los utopistas propusieron modelos prescriptivos de ciudades escritas, hechas de discursos que indican cómo debe ser no la ciudad sino la sociedad. La ciudad utópica resultante es consecuencia de la sociedad utópica que se propone. La ciudad escrita es un conjunto de mandamientos para la "buena" sociedad, que consolidaría espacios donde el "buen gobierno" desplegaría sus virtudes y las de los seres humanos sobre los que rige. No voy a referirme a esas ciudades porque pertenecen a la filosofía política e indican lo que la ciudad debe ser, como consecuencia de lo que la sociedad debe ser y como teatro donde ese deber ser puede alcanzarse.

La ciudad escrita puede tener como referencia ciudades reales. Es bien conocido que la ciudad fue el espacio literario característico del realismo y el naturalismo, que la presuponían incluso cuando no la representaran como escenario, pero allí estaba como horizonte deseable o círculo infernal. Y es una obsesión de la literatura del siglo XX y de la que hoy se está escribiendo. La ciudad real presiona sobre la ficción por su fuerza simbólica y su potencial de experiencia, incluso en textos que no se ocupan deliberadamente de ella.

La referencia de la ciudad escrita puede ser una ciudad realmente existente (Dublín, Lübeck, Buenos Aires, Barcelona, Santa Fe); un compuesto de fragmentos de ciudades vistas, vividas y recordadas; o una ciudad de completa invención: una distopía, como las ciudades de la ciencia ficción, las ficciones políticas o la literatura fantástica. La ciudad escrita no es, por supuesto, sólo una ciudad literaria; el periodismo y la crónica de costumbres escriben ciudades; el ensayo escribe ciudades; las ciencias sociales escriben ciudades.

La ciudad escrita tiene mapas y recorridos. Los nombres de calles y de barrios son sus anclajes, lugares de lo que Barthes llama *capitonné*, donde el lenguaje parece conectar con la realidad, el punto en que una superficie se une con otra para separarse inmediatamente. Un ejemplo canónico: en una manzana de Palermo, Borges situó la fundación mitológica de Buenos Aires y ordenó para siempre (a pesar de las torpezas ingenuas de los cambios topográficos municipales, que antes que homenajes son ofensas) los nombres de las cuatro cuadras que la rodean: "La manzana pareja que persiste en mi barrio / Guatemala, Serrano, Paraguay, Gurruchaga".[74] Los versos de catorce sílabas tuvieron una eficacia mítica tan fuerte como la invención de que allí había sido fundada la ciudad. La toponimia poética es inolvidable por su ordenamiento en los versos y la feliz coincidencia de que las cuatro calles abarcaran catorce sílabas perfectamente acentuadas. Así se traza el mapa de un movimiento que Deleuze llama "intensivo", es decir, una "constelación de afectos".[75]

Los nombres escritos en los textos aparecen también en las indicaciones de las calles y en los planos; el lenguaje interviene en esos procesos de designación, el del espacio escrito y el del espacio real, y en ambos los nombres tienen pesos diferentes que han adquirido cuando capas de historia, de literatura, de canciones populares, de acción pública se acumularon sobre ellos. La ciudad real entra en colisión o ratifica a la ciudad escrita, pero nunca se superponen, ni se anulan ni intercambian sus elementos, porque su orden semiótico es diferente. La toponimia no es sólo designación de lugares; alrededor de los nombres, los adjetivos, los verbos y sus tiempos, las perspectivas de enunciación arman una red que se vuelve inseparable del nombre; es la luminosidad que lo acompaña, o la oscuridad, su aura. Los diminutivos de Borges, su elección de colores en los primeros libros de poemas; o los adverbios catastrofistas y los adjetivos sacados de manuales técnicos de Roberto Arlt se superponen a los nombres propios o los reemplazan: cuando el itinerario se olvida, subsiste el efecto si encontró su discurso.

La ciudad escrita se ordena desde una perspectiva que, a veces, tiene como punto de fuga una ciudad ideal, que está en el pasado (la fuga es nostálgica o melancólica) o en el futuro (y la fuga es utópica o reformadora). La ciudad escrita ejerce, como la moda escrita, una cierta fuerza prescriptiva: se escribe algo recortado contra lo que efectivamente existe en la ciudad real; la literatura se refiere a las consecuencias de la desaparición de la vieja ciudad o a la emergencia de la ciudad nueva. Sin ese punto de fuga, la perspectiva de la ciudad escrita es la del presente: se registra lo que está, olvidando, bloqueando o eludiendo lo que fue.

Si se compara la ciudad escrita con la ciudad real, la perspectiva no puede ser la de un inexorable control realista. De todos modos, aun frente a una representación realista, no se trata siempre de controlar si la ciudad real está adecuadamente captada por la ciudad escrita, sino qué significan las desviaciones entre una y otra. El interés de la ciudad escrita y su poder de revelación o de verdad pasan por las desviaciones tanto como por los reflejos; ellas, las desviaciones, indican el modo en que se piensa a la ciudad desde una experiencia o desde un ideal de ciudad, desde un orden literario (los géneros realistas, la ciudad de la novela policial, la de la ciencia ficción) o prescriptivo (los géneros morales, las distopías y utopías).

La ciudad escrita organiza sus inventarios con signos textuales y léxicos que pueden tener sentido literario y carecer de sentido arquitectónico o urbano equivalente; o incluir unidades espaciales previas (calles, plazas, mercados, iglesias). Nombrar una ciudad implica garantizar un *locus*. En las ciudades escritas, la función literaria y ficcional es tan fuerte como la referencial.

Árbol, calle, itinerario. En el comienzo de *Poética del espacio,* Bachelard dice que no recordamos el tiempo, sino el espacio. Lo que imaginamos del tiempo transcurrido está espacializado. Y cita a Rilke: "¡Oh, luz en la casa que duerme!". Por eso, regresar a ciertos lugares es insoportable, porque obliga a un retorno al pasado. Rilke escribió en la primera de las *Elegías del Duino*:

> Nos queda quizás
> algún árbol en la colina, al cual mirar todos los días;
> nos queda la calle de ayer y la demorada lealtad
> de una costumbre, a la que le gustamos y permaneció,
> y no se fue.

Un árbol, la calle de ayer, una costumbre, un itinerario: eso queda como el fragmento de la experiencia que resiste.

Ese árbol y esa calle donde se trazó un itinerario prometen una solidez en el mundo fluido de los significados, porque tienen la resistencia de lo que todavía puede ser vivido como experiencia. Pero son también el árbol que quedó, la costumbre que permaneció y no se fue. Se ofrecen como lugar de regreso y, en la ciudad, hay pocos lugares de retorno que permanezcan idénticos. La ciudad es tiempo presente, incluso su pasado sólo puede ser vivido como presente. Lo que se conserva del pasado en ella queda incrustado en lo que ella muestra como pura actualidad.

Sin embargo, en el límite de lo que se ha borroneado de la ciudad pretérita y de lo nuevo impreso sobre sus restos, Françoise Choay sostiene que debe conservarse del pasado aquel fragmento de ciudad que ya no sabemos ni podemos construir hoy. Como si dijera: *No sabemos hacer ese árbol ni esa calle de ayer.* La literatura puede conservar un rastro de lo que se ha perdido, aun cuando la ciudad real borre la huella.

La mirada local. I. Borges, cuando regresa de Europa en 1921, cree descubrir una Buenos Aires distinta a la que había dejado siete años antes. La ciudad amistosa de la infancia pertenece al recuerdo, se ha vuelto *espacio pasado.* En esos siete años, es Borges quien más ha cambiado, pero los cambios de Buenos Aires se entrecruzan con la transformación de un adolescente en un hombre. La dimensión biográfica es ineliminable de la percepción de la ciudad que Borges encuentra a su llegada. Recorre los lugares donde el pasado puede actualizarse y trabaja sobre un recuerdo que se transforma en mito personal y en mito urbano. El choque entre la ciudad recordada (donde estaba el árbol y la calle de ayer, para citar a Rilke) y la ciudad de 1921 produce un lugar en la poesía de Borges: las *orillas,* donde la ciudad recordada persiste pese a su inevitable disolución en la ciudad presente. Contra el borramiento y la pérdida, Borges preserva, en sus obras de los años veinte y en el *Evaristo Carriego* de 1930, aquellos fragmentos de ciudad que ya no se siguen construyendo.[76]

En sus tres primeros libros de poemas, Borges camina por Buenos Aires. Percibe el paisaje moderno extendido hasta el horizonte plano; pero subraya, dentro de la disciplina geométrica de las calles, las incrustaciones del pasado: las "austeras casitas", las quintas, el almacén rosado, las parecitas y los cercos vivos, los patios, los balconcitos, las terrazas. Objetos que son "incertidumbre de ciudad".[77] No son ruinas, pero Borges enumera estos objetos como si lo fueran: persistencias del pasado. Representan la ciudad criolla que desaparece y también un tiempo perdido (la adolescencia) que, como afirmó Bachelard, sólo puede recordarse espacializado. Esos objetos formaron parte de un mundo más perfecto que el presente; cuando Borges los nombra subsisten aislados en el nuevo paisaje de una modernidad en construcción, que se expande por los barrios, desordenándolos. Son objetos 'secundarios', apenas detalles, pero en ellos se anclan las cualidades más íntimas de la ciudad. En el límite, no son arquitectura ni ciudad, sino un vocabulario de la Buenos Aires pretérita superpuesto a la ciudad de los años veinte. Objetos nombrados con palabras evocadoras, ya que a Borges le preocupa el mito.

En los poemas de los años veinte, Borges revisita y se despide de esa Buenos Aires cambiada por la modernización. Se estaba perdiendo una ciudad amable ("antes era amistad este barrio"), aunque en algunos itinerarios esa ciudad persistiera. Se podría decir que Borges descubre cualidades retrospectivas en calles atravesadas por los rieles del tranvía que, al llegar a los barrios, ofrece la paradójica oportunidad de recorrerlos como un *flâneur* de la periferia, que, de pronto, enfrenta la imprevista llanura. Rodeada por la pampa y el río plano, cuyas orillas va carcomiendo con nuevos asentamientos, Buenos Aires podría ser infinita, un laberinto como el desierto, un laberinto de líneas rectas. Lo que el vienés Camillo Sitte escribió sobre América del Norte vale para la geografía sobre la que se fundó Buenos Aires:

> Este procedimiento es la expresión clara, y perfectamente lógica en su tipo, del hecho de que el país fuera todavía casi desconocido, que su desarrollo futuro no pudiera preverse, en una palabra, que América no tuviera detrás de ella ningún pasado, ninguna historia, y sólo pudiera entrar en la historia cultural de la humanidad en términos de leguas de tierra. Quizás en América, en Australia y en otras comarcas vírgenes de cultura, la división en bloques geométricos es, por lo tanto, una solución válida también al alcance del urbanista, aunque sólo lo sea de modo provisorio.[78]

La ciudad dividida en manzanas hace de la regularidad su cualidad mayor. Lejos de extrañar la irregularidad y el pintoresquismo de algunas pequeñas ciudades europeas que ya había conocido, Borges recibe lo que Buenos Aires le ofrece: una moderada abstracción geométrica, nada terrible en su racionalidad modesta, sino una especie de orden humano.[79] Pero la ciudad carece de densidad histórica (que Borges busca hacia atrás en el siglo XIX, y hacia afuera en la pampa). El barrio nuevo domina el paisaje con sus pequeñas arquitecturas domésticas levantadas por constructores italianos, que no se apartan demasiado de las arquitecturas sobrias y modestas de la anterior ciudad hispanocriolla. El recorrido no se extiende de monumento en monumento, sino de cuadra en cuadra, concebidas como unidades idénticas y extensibles a lo largo de calles también idénticas. Para el paseante, la ciudad es también una virtualidad: la calle sin vereda de enfrente, el momento en que la ciudad termina sin terminar del todo, enfrentada con la llanura que todavía no ha sido cubierta por la edificación y que entra en la ciudad como recuerdo de la pampa. La unidad de este recorrido es el barrio, y la cualidad del espacio es la familiaridad. Borges, caminante crepuscular o anochecido, recorre lugares cotidianos, donde la ciudad se vuelve más íntima y amistosa. El recorrido promete la salvación de la ciudad cosmopolita por la regularidad silenciosa de la ciudad en expansión hacia el suburbio. Son los escenarios de los héroes del primer Borges, el espacio de una mitología de ciudad donde, pese a que los inmigrantes están allí, no se escucha su lengua, y todavía las cosas no se han desordenado por ostentación.

Martínez Estrada, contemporáneo de Borges, ve en Buenos Aires a los inmigrantes que Borges no quiso ver. Los considera protagonistas ruidosos en una sociedad ocupada solamente con el dinero y las formas exteriores del progreso, que ha traicionado sus programas y que defrauda las expectativas de quienes algunas vez pensaron que la miseria de la conquista española podía ser atenuada (o redimida) por la justicia de la organización republicana. Martínez Estrada no es ni nostálgico ni optimista frente a una ciudad herida por una 'mala' heterogeneidad y por la falsificación.

Para Martínez Estrada el fracaso de la cuidad proviene de su mismo origen en la colonia española, que significó la violación de América por una casta de conquistadores canallas, movidos por una ambición convertida en locura; del repudiable crimen en la guerra contra los indios; de la defección de las elites; del mercantilismo de los recién llegados. Y, sobre todo, de la presión de un determinismo telúrico que tiene a la pampa como fuerza ingobernable:

> La imagen de la invasión de la ciudad por la pampa es la realización más plena del triunfo y el fracaso de la táctica de las fronteras con que se constituyó el país desde su origen: el aislamiento de la región europea, que convierte lo civilizado en barbarie, y la infiltración de América por entre sus resquicios... Todos los tipos y figuras que describe Martínez Estrada en la ciudad revelan esta mala cruza, este continuo presente del pasado en moldes nuevos: el gaucho que reaparece bajo la camisa de plancha; el guapo, el guarango y el compadre que emblematizan la cultura urbana; la barbarie que vuelve por sus fueros en los corsos, los comicios y los estadios.[80]

Desde la perspectiva de Martínez Estrada, es indeseable cualquier recursividad nostálgica, y no existe modelo de ciudad donde las marcas del presente sean dulcificadas por los restos de un pasado más noble o más austero. La mezcla que, en el curso de los siglos, produjo un espacio europeo armonizado y coherente resulta en una dislocación de los tiempos en las ciudades de la llanura americana. Martínez Estrada no encuentra en las huellas de la ciudad criolla ningún ideal que pueda guiar a la ciudad moderna. Buenos Aires defrauda toda esperanza y, por lo tanto, se resiste a toda reforma verdadera.

Materialmente, la ciudad resulta de un llenado por superposición, por agregado, por metástasis. Monstruosa excrescencia de la llanura, la ciudad ha sido producida por una inexorable causalidad geográfica que determinó su historia y su actualidad. La hipótesis del destino pampeano explica la expansión regular de Buenos Aires (que Borges no leyó en términos pesimistas) y le impuso una morfología. La ciudad borgeana sigue la forma ideal de la manzana regular; la de Martínez Estrada es informe y crece como un organismo monstruoso. Se siente en la ciudad el golpe de la historia, su herida, su incógnita, sus peligros.

La mirada extranjera. I

> Caminé a lo largo de una calle interminable, siempre en línea recta... Has llegado a Buenos Aires, Michael, ahora prepárate para la ciudad y para lo que quieras ser en ella.
>
> A veces caminaba calle arriba y calle abajo desde el número cuatrocientos hasta el cuatro mil. Deambulaba a lo largo de vallas que se erguían aburridas a lo largo de mi camino. En realidad, eran casas, idénticas unas a otras en forma y color.
>
> Hasta ese momento no había pisado el barrio de Palermo. Estaba desde hace dos años en Buenos Aires y todavía no era un experto en la ciudad. Se escuchaba el silbido de las ramas secas en las altas palmas. No combinan para nada con las valladas construcciones de todos los estilos posibles, aunque impacten como decorativas e intenten presentarse como la entrada a una zona tropical. Algunos de estos palacios, pertenecientes a los aquí nacidos, parecen fortalezas árabes. Entre ellas, pequeños castillos franceses, mansiones nobles escocesas, villas romanas con muros de un amarillo reluciente bajo el oscuro cortinado del muermo y el jacarandá.

Michael M. irrt durch Buenos Aires es la novela casual y, por momentos, arltiana, de Paul Zech, el primer escritor exiliado de Alemania, que llegó a Buenos Aires en 1933.[81] La novela comienza ese año y es claramente autobiográfica. Como todos los viajeros (incluido Le Corbusier), lo primero que ve Zech de Buenos Aires, una vez que ha subido la pendiente desde el puerto, son las calles rectas hasta el horizonte. Y la monotonía: casas, casas, casas, la ausencia de elementos pintorescos, la ausencia de paisaje. Para los extranjeros, Buenos Aires es pura construcción humana y puro presente: ni naturaleza espontánea (como en otros lugares de América), ni historia (como en Europa). Ciudad no hospitalaria, como sus elites.

El personaje de Zech camina por el Palermo de Borges, en los años en que también Borges recorre esas calles, pero no son las mismas. Lo sorprende como un gran gesto mal hecho el *bricolage* del zoológico, que Zech convierte, irónicamente, en un barrio; o viceversa, lee en las mansiones de Palermo, el eclecticismo exotista e infantil que inspira las bizarras arquitecturas del zoológico con sus castillitos, pagodas, arcos mozárabes y mansiones normandas, una ciudad en miniatura, decorativa, *theme park* arquitectónico condensado, donde toda copia es doblemente falsa: por ser copia y por copiar un original ya antes copiado. Posiblemente, en esto resida la originalidad de Buenos Aires.

Para Zech la ciudad es presuntuosa y fea.

La mirada local. II. La *WPA Guide* de Nueva York, en un gesto de neto modernismo, sostiene a mediados de 1930: "En lo que se refiere a su arquitectura el Rockefeller Center es el equivalente de lo que significa el Louvre en París".[82] La frase impresiona por su nitidez estética y propagandística.

En *Delirio de Nueva York* de Rem Koolhaas hay dos fotografías del proyecto para el Rockefeller Center. No corresponden a los edificios finalmente construidos; son variantes que llevan un epígrafe con una cita de Raymond Hood, uno de sus arquitectos: "Yo no intentaría adivinar cuántas soluciones se propusieron: dudo de que hubiese algún posible esquema que no se estudiase antes de adoptar el proyecto actual. E incluso *después* de llegar a un esquema definitivo, continuamente se hacían cambios para adaptarse a la evolución de los alquileres". Koolhaas agrega: "A medida que pasaba la década de 1930 y el conjunto se iba realizando por etapas, el proyecto global se fue haciendo menos reconocible: se trataba de satisfacer las necesidades de algunos inquilinos específicos y de responder a ese movimiento moderno que avanzaba sigilosamente".

En un aspecto, si se sigue a Koolhaas, el Rockefeller Center se ganó la posición equivalente al Louvre que le adjudica la *WPA Guide.* Una vez negociados los diferentes proyectos, que incluyeron y descartaron una ópera y jardines colgantes que compitieran con los de Babilonia, el Rockefeller alcanzó su forma:

> Implantadas en el pasado vegetal sintético (escribe Koolhaas) de su emplazamiento en el aire, apoyadas en las praderas inventadas de una nueva Babilonia, entre los flamencos rosas del "jardín japonés" y las ruinas importadas donadas por Mussolini, se alzan cinco torres, tótems convidados de la vanguardia europea que coexisten por primera y última vez con todos los demás "estratos" que su movimiento moderno pretende destruir.[83]

El producto es *manhattanismo*, algo que sólo se encuentra en Nueva York, y le proporciona una identidad tan inmediata como el Louvre a París. El *manhattanismo* es capitalismo en primer lugar, sus apuestas, sus giros, sus crisis.

El Kavanagh de Buenos Aires se construyó en los mismos años que el Rockefeller Center, a partir de 1933. Fue, sin embargo, según Jorge Liernur, "un reflejo invertido" del conjunto neoyorquino. Los alquileres e inquilinos que menciona Koolhaas muestran la ocupación del Rockefeller Center por las grandes corporaciones; el valor del Kavanagh se fundó en la renta urbana generada como bien de uso doméstico de los millonarios cuya fortuna se originó en la renta agraria diferencial.

Nada es igual: el Kavanagh se alza en el centro noreste de la ciudad, que en la década del treinta era la última estribación de la calle Florida y una zona de palacios urbanos, algunos de los cuales subsisten hoy. El Rockefeller ocupó el corazón de Manhattan, lejos de la *city* pero enclavado en la Quinta Avenida, el lugar más visible, más imantado por la alta sociedad, el capitalismo mercantil, el *show business* y la cultura.

El Rockefeller *produce ciudad* (ciudad corporativa, ciudad del trabajo y de la diversión, parque temático ciudadano en el medio de la urbe); su forma es una especie de aglomerado del futuro con estilos y decoraciones que vienen tanto del modernismo como del pasado. El Kavanagh, como si cumpliera un destino agrario, no produce ciudad: es un hito cuya ubicación está paradójicamente desplazada.

Arlt tiene el ojo sensible a los rascacielos. Y, antes de los rascacielos, a las demoliciones. Pero probablemente lo que ve mejor en

Buenos Aires son los contrastes. No habla del Kavanagh que, sobre la Plaza San Martín, no se mide con el resto de la ciudad, sino de un edificio de altura en un barrio del sur, el Ministerio de Obras Públicas que, espejo de la Argentina, no es una obra del mercado sino del Estado:

> La plazuela triste se llama la Plaza de Monserrat, el rascacielo está ocupado por el Ministerio de Obras Públicas. El contraste es brutal... En la plazuela, una entrada de subterráneo, el subterráneo CHADOPYF. Frente al subterráneo una palmera africana. Este conjunto de plazuela de provincia, de tejados rojos con una chimenea, de rascacielo liso, de balconadas antiguas, de eucaliptus envejecidos, de fondas con vidrieras protegidas por tableros de verde manzana... Sólo cuando uno se detiene frente al rascacielo, y levanta la cabeza y trata de abarcar simultáneamente con la pequeña curva de los ojos la desmesurada vertical que parece inclinarse desde el remate de su altura hacia nosotros, la sensación provinciana se quiebra en el vacío y se hace presente Nueva York... Aquí, en esta plazuela triste, barrida por los vientos que encajona el rascacielo, algunos chicos solitarios juegan a la rayuela.[84]

Lo escrito por Arlt, releído muchas veces, sigue asombrándome por su toma de partido. Las nuevas construcciones, "armazones de cemento armado más bellos que una mujer",[85] no dejan lugar para la nostalgia. No se puede entender mejor la modernidad que a través de esa atracción fatal que impulsa un deseo que siempre pide más. Lejos de los arquitectos modernos moderados que estudiaron Adrián Gorelik y Graciela Silvestri,[86] Arlt es un moderno radical, una especie de extremista del partido moderno, al que reconoce casi con el olfato.

Dos cosas lo fascinan: el caos y las demoliciones. Ve más de lo que hay realmente, ve lo que desea: una modernidad arrasadora, expresionista, deformante, pecaminosa, destructiva, implacable con los débiles, puerca y sucia en sus bordes, sobre todo sin pasado. Una modernidad desfachatada: de noche, en Corrientes, una mujer hermosa baja de su auto y le dice al diariero: "Che, Serafín, ¿no tenés menezunda?".

La belleza que provoca a Arlt no exige conocer una historia, y mucho menos pertenecer a ella. Arlt no está, como Apollinaire, "harto de vivir en la antigüedad griega y romana", porque no puede hartarse de ninguna antigüedad desconocida. Por eso le gustan los armazones de cemento y ni siquiera espera el edificio, apuesta a ese caos que es la construcción, el pozo de barro amarillo y los desagües al descubierto; observa lo que quedará oculto cuando el edificio termine de construirse, el secreto técnico de una casa de pisos; goza en la devastación barrosa sobre la que avanza el ensanche de la calle Corrientes. Arlt está magnetizado por la ciudad desprolija, que no cristaliza en un orden. Donde hay orden existe un principio de jerarquía.

Una foto de alrededor de 1935 lleva como título "Roof atop the RCA building with clouds".[87] Se ven el Chrysler y el Empire State; por debajo, los remates de otros edificios, dominados por la altura de esos dos portentos, más altos que la torre Eiffel. En la foto, dan la impresión de ser arquitecturas sin interiores, obeliscos diseñados sólo para sobresalir y ser admirados. Esa sensación de enfrentar edificios ciegos (en lugar de lo que son realmente, edificios corporativos de oficinas) acentúa el carácter sublime del paisaje registrado por la foto. Nada indica en ella que estén ocupados por humanos; parecen los picos más altos de una cadena de montañas, cuyos valles son las avenidas y las calles de Manhattan. Envueltos por las nubes son, en efecto, paisaje. Vistos desde abajo le dan a Manhattan esa particular sensación de encajonamiento que otras ciudades no tienen. Fotografiados desde la terraza del RCA, los gigantes son cumbres en medio del cielo nublado y la 'naturaleza' visible está debajo de ellos. Otros seis edificios apenas si muestran su remate, mientras que el resto de la ciudad se oculta. El Chrysler y el Empire State han vencido el cielo nuboso y llevan la piedra de Manhattan hasta una altura que lo supera. En los años treinta prueban que la "cosmópolis del futuro" está en construcción.

A comienzos del siglo XX, "las reacciones provocadas por la ciudad incluían el mismo sentimiento de asombro y deslumbramiento que experimentaron una o dos generaciones precedentes frente a la naturaleza [...] Lo sublime natural fue reemplazado por lo sublime urbano [...] Se encontró una naturaleza metafórica en la nueva tecnología urbana, una nueva ecología de lo artificial".[88] Lo sublime no llega únicamente por haber vencido alturas sólo alcanzadas por la naturaleza (y, por lo tanto, inconmensurables con todo lo anterior; inconmensurables, se entiende, salvo para los arquitectos que construyeron y para los *developers* que invirtieron), sino por proyectarse como promesa de futuro: el milenio de las ciudades hecho posible por una nueva captura del fuego. Los edificios de altura, en la perspectiva aérea sublime, parecen cumbres, pero en la trama urbana son máquinas para el trabajo corporativo.

En "La muerte y la brújula" Borges los somete a una crítica demoledora: "El crimen ocurrió en el Hôtel du Nord –ese alto prisma que domina el estuario cuyas aguas tienen el color del desierto–. A esa torre (que muy notoriamente reúne la aborrecida blancura de un sanatorio, la numerada divisibilidad de una cárcel y la apariencia general de una casa mala) arribó el día tres de diciembre el delegado de Podólsk al Tercer Congreso Talmúdico...". La descripción como "prisma" evoca, más que el Kavanagh, como se ha dicho siempre, el COMEGA, sobre Leandro Alem y Corrientes, cuya construcción comenzó en 1932. De todos modos, no se trata de discutir lo que la crítica señaló sin mirar demasiado los edificios, considerando al Kavanagh como el más emblemático del trío que completa el SAFICO.

Borges usa tres términos de comparación: cárcel, sanatorio y casa mala, que no remiten a una idea de lo sublime. Por el contrario, los tres términos pertenecen a la esfera foucaultiana de la biopolítica, noción que a Borges le hubiera parecido curiosa, pero que, en esta tríada, fija realmente un rasgo común: lugares donde los cuerpos, lejos de liberarse de sus determinaciones, son reducidos, obligados y dominados. Así experimentaba Borges uno de los tres rascacielos de la ciudad, sin el recurso a otro imaginario que el de la opresión; la modernidad porteña le mostraba sólo los peligros y ninguna promesa. Borges profesa una atrabiliaria antipatía por el modernismo explícito. Los arquitectos de la tríada edificada en los años treinta estaban en condiciones de proyectar esos edificios de altura, pero no de inducir cambios inmediatos en la cultura intelectual.

Salvo Roberto Arlt, nadie sentía el impulso de retomar lo sublime en términos técnicos ni urbanos. Y es sabido que, para Arlt, el triunfo de lo técnico es la revancha del recién llegado que posee los saberes que no interesan a los escritores cuyo origen está en la elite social. Hijo de inmigrantes, Arlt adora las formas de la ciudad moderna, las haya visto en el cine, en los afiches de películas o en las fotos que llegaban a las redacciones de los diarios donde trabajaba.

La mirada extranjera. II. "Diario de Manhattan" de Néstor Sánchez. Cuarenta años después, un escritor argentino vive en Manhattan, sin entusiasmo, marginal y agotado. Su "Diario de Manhattan" es el anverso del futurismo arltiano y del manhattanismo.

> (diciembre)
> sábado 31
> El downtown huele un poco a mafia protectiva de segundo orden, se escucha con mucha frecuencia un italiano sectario, ramplón; hasta que de improviso vuelve a surgir la bestia de mirada transparente, hacedora de américas. Paralela, la ampulosidad semi snob de la semi cultura semi subterránea. Peste berreta. Las llamadas artes plásticas en manos de oligofrénicos, etcétera.
> Del otro lado, a través de basurales y detritus, todo un barrio de paredes sombrías en holocausto de un alcoholismo infructuoso, vano.
> Ya petardean, ya pasan de año. El rock como nunca por su propia cuenta delatando excitantes de farmacopea, la gran carencia de reciprocidades que salta a la cara en cada esquina, en cada iglesia.
> (enero)
> sábado 6
> Sólo cemento burdo devorándose las suelas, insultando a las piernas. El peatón no cuenta, cuenta la máquina más el negocio de duración a expensas de cualquier otra inquietud más o menos humana.
> Todo aquí es fanático, en fidelidad extrema hacia lo peor.
> Con las actividades de cualquier índole pasa lo mismo:

grandilocuencia, brutalidad, desprecio del ritmo. La soberanía inconsciente de la violencia como única condición del éxito. Como aditamento, el mal gusto militado se vuelve, a su debido tiempo, agresión.
Quinta avenida y el turismo que por fin llega, por fin mira, por fin constata: desfile cifrado de un gentío gestionándose entre edificios esperpénticos, incapaz ya de diferencias.
Una única vez por un rato en la atmósfera y de repente esto. No deja de volverse otra estafa de reparación imposible, como de costumbre.
En cambio a través de las zonas de gangrena, allí a pocos pasos, sólo el ambular de alcohólicos y drogadictos agónicos: nada mejor que la omisión, diríase, para volver a equivocarse en todo.
(marzo)
jueves 4
Por la noche
A primeras horas de la tarde encontré una billetera junto al umbral de una frutería inmaculada del downtown: trescientos setenta y pico de dólares, más un cheque con el que no intentaré. De nuevo obligado a razonar Providencia. Y si un imbécil se ríe es porque sería Providencia.
Desde adentro un chino alto, muy sobrio, miró en un relámpago, lo vio todo; de inmediato fue dedicándose a olvidar (¿se repetiría algún axioma del Libro de los Cambios?), mientras lustraba con franeleta amarilla, una a una, cierta pirámide estricta de manzanas carasucia. Acababa de tomarla con la izquierda, en cuclillas apenas, en la doble opción nunca presentida; pero también es cierto, mi querido don Genaro, que hasta los pómulos se tomaron su tiempo en aquietarse. Me quedé mirándolo hacer, a media distancia, hasta pagar uvas en la caja.
Nada menos: la vertiginosidad de los estados de ánimo. A pesar de todo se asocia, por pretexto continental, algo tal vez acorde con el señor frutero y su accionar atinadísimo: tanto depende de una carretilla roja, mojada por el agua de la lluvia, junto a las gallinas blancas.

Néstor Sánchez no profesa el mito de Manhattan. Está allí como un extranjero enfermo, pobre, ignorado, un marginal que ni siquiera toca los márgenes reales de Nueva York. La ciudad lo pasa por alto. Todo le produce asco, excepto la precisión discreta con que un frutero chino lustra sus manzanas: eso le permite citar un poema de William Carlos Williams y descansar un momento en ese recuerdo luminoso.

En esa misma década, los años ochenta, Nueva York ofrecía un presente que se entrelazaba con futuros distópicos. Sánchez ve lo sucio, maníaco, drogado, miserable, mediocre, gritón y promiscuo. No se ajusta a las indicaciones para ver Nueva York en los ochenta: la ciudad no le impone su mito. Sánchez capta Nueva York en lo que tiene de permanente: debajo de la moda y el impulso del dinero, siempre los borrachos del Bowery que hoy ya no están más allí. Y cuando todos dicen: "esto no es Estados Unidos", Sánchez ve un ejército de *commuters* que disparan a las cinco de la tarde hacia sus suburbios erizados de antenas de televisión. La discreción del frutero chino (que es tan de Nueva York como el *New York Times*) le parece de otro mundo.

Sánchez muestra la necesidad de creer antes de ver. Por eso invierte la carga de la prueba: no cree en la promesa de Nueva York y, por lo tanto, no la ve. La ciudad lo injuria en lo que él es: un argentino que escande exquisitamente un tango mientras camina por Central Park, un lector que no tolera la escenografía urbana del pop de mercado. Le produce náuseas lo que la ciudad muestra con desparpajo: sus contrastes, su abundancia, su dureza, su sonido intolerable.

El "Diario de Manhattan" es un tratado de cómo *no ver* lo que otros ven. Por eso abomina del filisteísmo turístico que busca la ilusión de localidad leyendo el *New York Times*. Radical en su crítica, la falta de creencia en el mito neoyorquino es un ácido que, por un lado, le despeja la vista y, por el otro, se la nubla.

La mirada local. III. Vistas. Las visiones aéreas de Buenos Aires son privadas o corporativas, es decir, abiertas sólo a los visitantes o empleados de grandes empresas. El Kavanagh, que fue el edificio más alto, no puede ser visitado por paseantes porteños ni por curiosos. El

COMEGA ofrece a los turistas y a los gerentes un restaurante *real classy*, cuya *best view in town* (como dice una publicidad) es para pocos. Hoy los edificios de Retiro o Puerto Madero son accesibles sólo con tarjetas magnetizadas o si algún turista caritativo invita a algún local a tomar unos tragos.[89] En Plaza de Mayo, la catedral neoclásica es, naturalmente, chata, a diferencia de las catedrales góticas; las iglesias del siglo XVIII tardío tienen campanarios bajos. Hasta la urbanización de Catalinas Sur, Buenos Aires no ostentaba grandes edificios corporativos que se abrieran al paisaje aéreo, como el Empire State o las terrazas en el último piso de las Torres Gemelas que ofrecían sus vistas sublimes sobre Nueva York.

El Obelisco renunció, desde su mismo proyecto, a darle a la ciudad una perspectiva aérea. En este sentido, casi medio siglo después de construida la torre Eiffel, el Obelisco no incorporó la posibilidad de un observatorio, que la Torre tuvo desde sus comienzos. "La Torre mira a París", escribe Barthes.[90] El Obelisco, por el contrario, tiene un ojo ciego: se planta en Buenos Aires como si estuviera en medio de la llanura desierta, sin hacer cálculos sobre lo que queda allí abajo, a sus pies. El Obelisco no mira a Buenos Aires, por el contrario, es la ciudad la que mira el Obelisco, que es un monumento sin interioridad y, por lo tanto, sin nervio óptico.

La altura del Obelisco es mucho mayor que la de cualquier obelisco de las capitales europeas y menor que la de la torre Eiffel. En esta diferencia radica la incertidumbre que rodea su función: monumento conmemorativo, como los obeliscos clásicos, y proeza de la arquitectura moderna, pero proeza mesurada, sin despliegue técnico. En los obeliscos franceses no hay observatorios urbanos; en las proezas de la arquitectura y la ingeniería (Empire State, torre Eiffel) sí los hay. En el medio, el Obelisco se atiene a su nombre en cuanto a su función conmemorativa, pero la desborda por su altura (67 metros), aunque esa altura no alcanza para *obligarlo a convertirse desde el comienzo en observatorio.*

Un paisaje urbano moderno, Corrientes vista desde arriba hacia el este y el oeste, quedó tapado por el ojo de cíclope del Obelisco. Sin embargo, ese ojo ciego permite la hipótesis: ¿cómo se vería Buenos Aires si el ojo humano ocupara una de las cuatro ventanitas del ojo ciego? Una especie de resistencia de lo arquitectónico, una elección deliberada del proyecto de Prebisch: no perseguir la visión sino el orden abstracto, el que se infiere intelectualmente.[91]

Setenta años después del Obelisco, cuarenta años después de la urbanización de Catalinas norte, Puerto Madero es un extendido observatorio frente a la ciudad. En el comienzo de *Las islas*, Carlos Gamerro escribe:

> ... vi, navegando el cielo por encima del agua cautiva de los diques y los huecos galpones rojos y las grúas de cuello vencido: las torres gemelas de Tamerlán e hijos emergiendo altas, limpias y cristalinas como montañas de hielo, en un montaje tan incongruente que parecía generado por computadora. Las había visto innumerables veces antes, como todos los habitantes de la ciudad, pero siempre era como la primera, y necesitaba varios minutos para aceptar que realmente estaban ahí: menos irreales en el recuerdo que frente a frente, como si sólo la imaginación pudiera concebir que la extensión de aguas barrosas del Río de la Plata hubiera cristalizado en estos dos palacios de hielo sin mancha, se habían convertido para todos los porteños en un nuevo símbolo de su ciudad, rivalizando incluso con el obelisco, insípido y primitivo en comparación. Para una ciudad que en más de cuatrocientos años no ha conseguido sobreponerse a la opresiva horizontalidad de pampa y río cualquier elevación considerable adquiere un carácter un poco sagrado, un punto de apoyo contra la gravedad aplastante de las dos llanuras interminables y el cielo enorme que pesa sobre ellas.[92]

Escenario de ciencia ficción, donde todas las superficies exteriores son refractarias, planos oscuros contra los que rebota la luz como sobre los lentes polarizados de los guardaespaldas y de los automóviles, espejos y cristales en los pisos y en la piel de los edificios. En una perspectiva de pesadilla, desde el último piso de cristal se ven las decenas de niveles hacia abajo, produciendo el vértigo del encierro dentro del "corazón de un diamante". Las construcciones, que Fogwill sigue con mirada de etnógrafo del capitalismo corporativo,[93] se levantan en Puerto Madero, cerca de los lodazales y las plantas de la reserva ecológica.

III. INTERVENCIONES Y REPRESENTACIONES

Experimento. "Nuestra actitud respecto del ruido difiere según estemos en Múnich o en París, en Chicago o en Vancouver, en Bombay o en Venecia."[94] Se podría diseñar un experimento que hiciera posible escuchar esta hipótesis: propuesta para una próxima Documenta en Kassel, paisaje sonoro instalado en Venecia que reprodujera los sonidos de Bombay. Cambiar los sonidos, bloquear los que parezcan característicos del lugar, inyectar otros. Buenos Aires sin bocinas, bandoneón ni cumbia. Descartar también la aceitada facilidad de sobreimprimir un paisaje sonoro a uno visual que lo contradiga; cruzar la Plaza de la República con música que no 'represente' icónicamente a la ciudad; y, al revés, una banda de sonidos capturados en Pueyrredón y Corrientes como música de Palermo, destruyendo la idea de barrio recogido y caminable, rompiendo la sombra matizada de toldos y árboles bajo los que están las mesitas de los bares. Varèse en la plaza de Malligasta, por ejemplo, cambiaría todo: bocinas y sirenas, ruidos metalizados, sonidos técnicos. La música de la ciudad entraría a la plaza de ese pueblito provinciano convirtiéndola en una escenografía insólita. Monteverdi en Villa Riachuelo o en Soldati. *Décalage* entre música (convertida en 'sonidos naturales') y motivos arquitectónicos: ver mejor cuando se escucha lo que no debe escucharse, de forma tal que el acontecimiento sonoro se vuelva un problema visual. Los sonidos extranjeros rompen el 'estilo' atribuido a un lugar y lo desnudan, lo hacen de nuevo.

Algo así sucede en un texto de Cecilia Pavón:

> Me siento en un café de Avenida de Mayo a tomar algo, sidra, o champagne. Elijo siempre la mesa más cercana a la calle. El ruido de los autos es ensordecedor, pero cierro los ojos y pienso en el ruido del mar.
> [...]
> Me gusta vivir en Congreso porque hay discotecas y me gusta ir a la discoteca porque la considero una escuela. No voy a la discoteca para conocer hombres, ni para sentir la música en mi cuerpo, ni para beber tragos exóticos. Voy simplemente para reeducar mi oído. Luego de incorporar la estructura de la música extraña de la discoteca a mi sistema de percepción, los ruidos de la calle me parecen música. Así, dejo de sufrir. Cuando siento que esos ruidos hieren mi alma, me digo: no la hieren, la hacen gozar; el ruido es placer, como la música de Daft Punk. Además los ruidos me acompañan siempre. Gracias a los ruidos es imposible que me sienta sola en Congreso. Cuando camino, no me parece hacerlo sobre el asfalto, sino sobre un colchón de ruidos, o una alfombra cuyo diseño fueran intrincadas combinaciones de sonidos misteriosos y excitantes.[95]

Intervenciones. En las últimas décadas, las intervenciones *site specific* definieron una estética conceptual, cuyos grandes nombres internacionales son Muntadas, Haacke, Christo y Jeanne-Claude. Imanes del turismo, algunas de estas intervenciones valorizan espacios urbanos ya valorizados por el capitalismo, como las de Christo en Nueva York (Central Park) o Berlín (Reichstag). Las de Haacke o Muntadas se caracterizan por el carácter abiertamente ideológico. Pero tanto las más artísticas como las más políticas se inscriben en un ambiente favorable a la estetización de lo urbano.

La ciudad intervenida por el arte convierte al *flâneur* en un *performer*,[96] que entrega su voluntad a las instrucciones de recorrido inscriptas en la obra o en los folletos y noticias de prensa que la acompañan. Pero como esa obra es una intervención in situ, porque es precisamente *site specific*, corre el riesgo (alegremente asumido como teoría) de hundirse en el sitio y perder su especificidad de obra para ser absorbida en su continente. En el límite, toda intervención en el espacio público puede ser leída como intervención de un artista. La intervención conceptual es ilimitada en su alcance y por su mismo programa, que borra las marcas de artista; toda marca, todo agregado a la realidad existente, puede llegar a ser interpretado como intervención in situ. La intervención irrumpe en la vida con su ideología de 'arte' y su conceptualización de 'artista', para hacer visible lo que habitualmente se pasa por alto. Su objetivo generalmente es crítico (de la sociedad, de la cultura, de la política), pero tiende a la ingenuidad o a lo autoevidente porque es arte público y necesita de una comprensión que le otorgue el sentido público al que aspira, contando con lo que los críticos digan en las explicaciones escritas (a veces pesadamente didácticas) sobre las intervenciones. Llenar de banderas anaranjadas el Central Park de Nueva York, para resaltar mediante ese color lo que fue el diseño histórico del parque; poner un vidrio esmerilado en medio de una plaza cualquiera, para que la gente se detenga allí y se esfuerce por mirar, a través del vidrio, esa porción de espacio que habitualmente es inerte; envolver un edificio con telas o alambres; o construir una casilla de madera, que parece un depósito de herramientas pero que, en realidad, está abierta para que el público vea que adentro hay una exposición de fotos de ese mismo lugar, un sauna en miniatura o, directamente, nada, es decir, que no se trata ni de un baño portátil, ni de un depósito temporario. Incluso en el medio de la naturaleza se han hecho intervenciones: una red de sogas trenzadas o un lienzo azul suspendidos en un bosque, parlantes clavados en lo alto de los árboles o, como en una gigantografía artística, un paisaje alterado con pilotes, montones de rocas o acarreos de tierra. Estas intervenciones son un agregado al espacio sobre el que se realizan: una declaración tanto estética como ideológica. En todo caso, siempre son un pedido de atención que busca contradecir las percepciones distraídas.

La esencia de la intervención es que irrumpa donde menos se la espera, aunque no siempre cumple esa regla y se esparcen vacas o caballos intervenidos en espacios urbanos proclives a dejarse seducir por el acto mismo de que se intervenga en ellos (como las vacas de Puerto Madero o la solitaria vaca frente al Chicago Cultural Center en la esquina de Michigan Avenue), o se ilumina el transbordador de La Boca, con fecha y horario fijos para convocar a un público extrabarrial. Por otra parte, salvo que se la anuncie en los periódicos, como por suerte sucede, es difícil distinguir una intervención de una *no intervención* que parece una intervención.

Doy un ejemplo. En la estación Retiro de la línea de subterráneo que va desde allí hasta Constitución, justo en el extremo de los andenes, hay un mural de cerámica. Un reborde de pared, de más o menos cuarenta centímetros de profundidad, lo enmarca en una caja de mampostería que pretende jerarquizarlo o quizá protegerlo. Iluminado por una luz aplastante, el mural es perfectamente visible aunque, como mucho de lo que decora el espacio público, está esfumado por la costumbre. Casi nunca recibe la menor atención, destino imperceptible que comparte con los murales de los pasajes que unen las líneas de subterráneo, devorados por la ensimismada velocidad con que se caminan esas decenas de metros que comunican redes de transporte: se desvanecen en un espacio neutralizado no sólo por la costumbre sino por el apuro, y el tiempo que se emplea para salir de un tren y meterse en otro es una especie de limbo tumultuoso.

Sin embargo, hace poco tiempo, algo en el mural de Retiro atraía la mirada. Podía pensarse que un artista lo había tomado como soporte para una intervención urbana. Un hombre, con toda evidencia alguien que vive en la calle, dormía sobre el borde inferior del marco de mampostería. De perfil, porque el ancho del marco no permite otra posición, estaba allí completamente inmóvil, iluminado con intensidad, apoyado contra el mural como si fuera un objeto tridimensional deliberadamente integrado a la representación plana. El hombre completaba la obra y daba la impresión de que su presencia respondía a la decisión de un artista. No era simplemente alguien que dormía en el andén de un subterráneo.

Imaginar dos posibilidades. La primera: que algún artista 'urbano' hubiera planeado la intervención, conseguido fondos para llevarla a cabo, contratado al hombre, y todo formara parte de un proyecto destinado a mostrar, por ejemplo, que muchos viven en la calle y que es necesario señalar el contraste entre el arte público y las condiciones miserables de los que no tienen casa. La segunda: que se tratara de una casualidad irrepetible, de un encuentro no deliberado entre un mural y un cuerpo. En cualquiera de los dos casos, la visión era ambigua ya que la presencia maciza del hombre dormido, incómodamente apoyado sobre un zócalo, era en sí misma una denuncia de la condición de los 'sin casa'.[97]

Otro ejemplo. Un espejo apoyado contra el tronco de un ceibo, en el centro de Buenos Aires. Entre todas las pertenencias del hombre que vive en Plaza Lavalle, hay un espejo, no un pedazo irregular sino un rectángulo de treinta por cuarenta centímetros salvado de algún naufragio o donado por alguien que se mudaba. En un diálogo con Hans Haacke, Pierre Bourdieu dice que el escándalo es "el instrumento de acción simbólica por excelencia". El hombre de Plaza Lavalle ha puesto su espejo que refleja, a ras del suelo, el césped pisoteado y barroso. La intervención es, para él, completamente neutra, ya que todas sus pertenencias están sobre ese piso. Pero nada como un espejo para evocar el escándalo de su presencia allí, como una especie de interioridad exteriorizada: ese espejo no pertenece a la escenografía de una plaza, sino a la de una vivienda, de la que este hombre ha sido privado (ignoramos las circunstancias precisas, pero conocemos las generales). De todo lo que no tiene, ha querido, sin embargo, ostentar un espejo, cuya incongruencia es el escándalo de su propia desposesión. El espejo no hace sistema con ninguna de sus pertenencias. Por eso mismo se destaca entre ellas, y no sólo por su luminosidad. El espejo es una potencialidad reflejante, un instrumento que produce duplicidad, una *veduta* de parque dentro del parque, un juego ilusionista. En síntesis: una *intervención.*

En una plaza de Viena, un artista había colocado un espejo, y la explicación que acompañaba la obra era justamente ésa: en una ciudad como Viena, llena de simetrías desde el barroco, establecer esa simetría invertida del reflejo implicaba poner todo de manifiesto, volver consciente la organización espacial de la ciudad. El hombre de Plaza Lavalle no propone el espejo como instalación socioestética, sino como objeto estrambótico, un suplemento de lujo en la miseria. El espejo en la plaza es lo innecesario, es decir, aquello que, al no hacer sistema con los trapos y enseres dedicados a la supervivencia, les otorga una luminosa trascendencia simbólica.

El arte ha desbordado, incluso en las ciudades en crisis, o más todavía en las ciudades en crisis, sobre el espacio público. Preguntarse si la presencia del hombre dormido contra el mural era la obra de un artista urbano es, en sí, un síntoma del tipo de intervención del arte en la ciudad. La operación artística sobre el espacio urbano responde al programa de hacer críticamente visible la vida en la ciudad, la pérdida de los derechos de ciudadanía, la caída del espacio público. Sin embargo, la ciudad tiene una potencia devoradora de esas intervenciones al oponerles escenas que parecen provenir de un programa de artista cuando se originan en las casualidades de la vida cotidiana. La ciudad material ofrece resistencias materiales a la intervención estética.

Y en este punto se plantea un problema. Las intervenciones materiales en el espacio urbano enfrentan la cuestión de que, al ser precisamente materiales, es muy posible (pese a las buenas intenciones) que se mimeticen con lo que sucede en la ciudad misma. La intervención de habitaciones o casas corre riesgos similares, cuando no el de una incursión franca en el *kitsch*, incursión buscada por el artista y celebrada por un público que no necesita de esa intervención como crítica (ya que es perfectamente capaz de pensar esa crítica sin el auxilio de la intervención) sino como *divertimento*. El ejemplo que la casualidad ofreció en la estación del subterráneo es, por supuesto, demasiado afortunado: un pobre que se confunde con el pobre que hubiera podido colocar un artista para denunciar la condición de pobreza de otros sin casa que también duermen recostados contra monumentos urbanos. La recursividad en abismo es un fantasma que persigue esas intervenciones del azar y del arte.

Modelos. Suceden cosas diferentes y, en general, más interesantes, cuando en lugar de *intervenir* lo urbano se construye un posible modelo que no es un modelo del todo ni un modelo de una idea abstracta de ciudad, sino una organización de imágenes o una imagen que se ubican entre la realidad de la ciudad, la experiencia de ciudad y la idea de ciudad. El artista se mantiene en suspenso entre las tres formas de aparición de la ciudad para encontrar (fabricar) una obra que no es totalizante, porque para ello debería realizar un forzamiento, el forzamiento presente en la fórmula "la ciudad es...". La imagen no es analítica, ni demuestra nada, precisamente porque el orden de la demostración es discursivo y funciona con el supuesto de que puede ignorar lo que deja fuera. La imagen del artista no necesita de ese supuesto; opera, en cambio, de manera 'bárbara', más allá del orden demostrativo. La imagen es inexplicable y, al mismo tiempo, pide ser explicada.[98]

Rómulo Macció. Un cuadro de Macció,[99] que muestra solamente una porción del Río de la Plata, un fragmento regular, sólido, cargado de materia, indica de qué modo un artista visual construye un modelo de ciudad por ausencia. El punto de vista de ese cuadro está ubicado en Buenos Aires. El río observado desde allí es el que por el este costea a la ciudad de sur a norte, bordeando las villas miseria, La Boca, el barrio *fashion* de Puerto Madero, el centro, el aeroparque, la ciudad universitaria.

La agresiva y sólida materia marrón que domina el plano, cuyos movimientos dan la sensación de un agua solidificada, es el Río de la Plata convertido en basura semilíquida, negado a su origen natural, exterminado por los desechos fabriles y urbanos. Sobre el apaisado rectángulo de río, otro rectángulo de cielo borravino corresponde a un atardecer siniestro. El río está muerto, apergaminado, inmóvil por el peso de su materia también cadavérica. La pintura de Macció conoce ese real y lo simboliza en su decadencia, como materialidad ingrata, desagradable, antidecorativa. Quien vea la pintura se preguntará por el río, porque el cuadro es antifluvial, antipaisajístico. Su resistencia a ser naturaleza fluyente y a ser paisaje proviene de un modelo visual comprensivo del río. Los dos rectángulos superpuestos tienen la pesadez de una abstracción y la materialidad de los desechos encontrados en las mismas costas. El río muerto no pertenece a la naturaleza sino a la ciudad invisible cuyo punto de vista lo ocupa quien observa el cuadro: está muerto *porque* es el río que bordea esa ciudad. En su ausencia, la ciudad es el origen de la representación plástica.

Pablo Siquier. "A partir de 1993, Siquier abandona drásticamente el color para dar inicio a una serie de pinturas en blanco y negro, e igualmente elimina las referencias a los ornamentos arquitectónicos en favor de composiciones más complejas y articuladas. Éstas parecen constituir grandes topografías urbanas, mapas bajos de paisajes, circuitos desconocidos, tal vez inútiles, que la mirada del observador debe recorrer como un laberinto."[100] Triple ilusionismo: representaciones de una ciudad que ha sido antes representada en una maqueta a la que se fotografió con el objetivo de la cámara en la línea de los noventa grados respecto de la horizontalidad del plano. Representaciones de una ciudad, o una fortaleza, antes modelada sobre una mesa de arena, como las que se usan en los institutos militares, pero con la arena petrificada y barnizada a fin de evitar toda irregularidad. Representaciones abstractas de construcciones unidas por diseños geométricos, pero desrealizadas porque las sombras no respetan exactamente la misma fuente de luz.

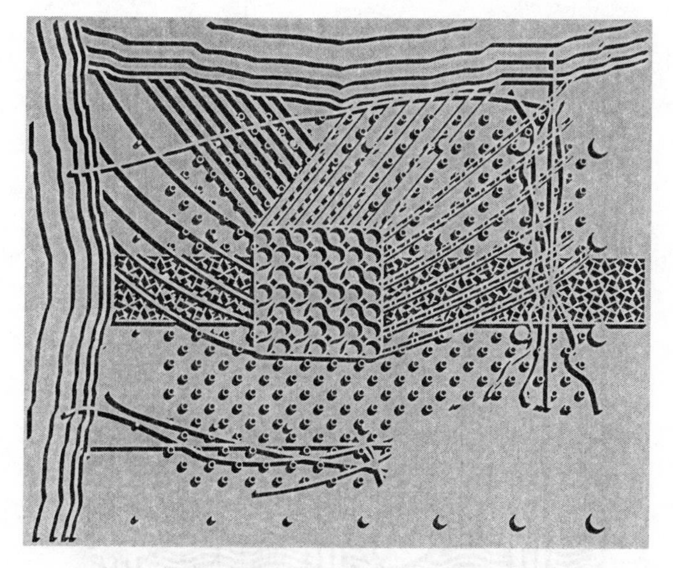

Pablo Siquier, "0316", acrílico sobre tela, 200 x 240 cm, 2003, Colección Esteban Tedesco, Buenos Aires.

Representaciones completamente planas de dibujos de planos con trazos de grosor desigual, como ejercicios de caligrafía. Representaciones de las vistas aéreas de ciudades de ciencia ficción, plataformas interplanetarias, colonias espaciales.

Desiertos, escaleras que rodean un óvalo en el desierto. Costas, riberas, líneas que no son pero que recuerdan las riberas y los diques. Representaciones de nada que, sin embargo, sugieren ciudad.

Una pregunta al que mira: ¿Siquier busca el recuerdo de lo urbano o desea aniquilarlo? Sus cuadros son mapas imaginarios o antimapas (la palabra es de Buci-Glucksmann); vacilan entre representar una representación, dado que el mapa es una representación, o indicar lo convencional, lo simbólico, de cualquier representación urbana en el plano. De algún modo dicen que el espacio experimentado es, finalmente, irreductible a su abstracción, aunque la historia de la arquitectura y del arte se funde en luchar contra la resistencia que las tres dimensiones ofrecen a su representación en plano.

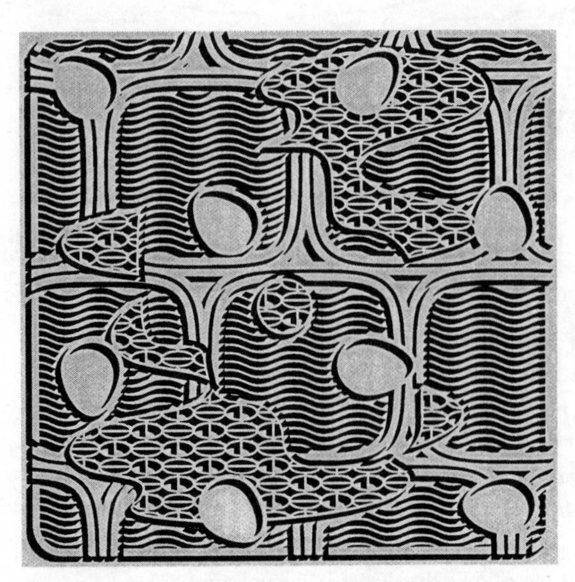

Pablo Siquier, "0010", acrílico sobre tela, 195 x 195 cm, 2000, Colección Blanton Museum of Art, Austin, Texas.

Gerardo Rueda. "Memoria del arqueólogo": la escultura muestra tres latas en primer plano, viejas, ennegrecidas como restos encontrados en un basural, abolladas por los golpes y la intemperie, envejecidas con esa mala vejez de las mercancías y los objetos comunes. Sin embargo, han sido dispuestas siguiendo una relación armónica, como si fueran partes de un monumento. Atrás de las latas, sobre un pedestal cuadrado, la parte inferior de una columna griega de fuste acanalado, el soporte hendido y el fuste burilado por las muescas de tiempo. A la izquierda de la columna, un recipiente cilíndrico que parece de mármol claro. Quizá sea un arqueólogo "clásico" quien ha desenterrado la columna; o quizás un arqueólogo contemporáneo que ha agrupado cerca de ella los restos de la civilización moderna, recipientes que contuvieron comida o líquido y que fueron dejados como basura. Es difícil decidirse. La "memoria del arqueólogo" es la de sus propios restos y no la de los restos del pasado que sin embargo están allí porque también sobreviven entre las ruinas más perecederas del presente. Como los "arquitectones" de Malevich, esas obras tridimensionales de Rueda son el sueño de una ciudad que no pudo ser: espacios geométricos perfectos, balanceados como nunca lo será la ciudad moderna.

Vivir en una ciudad que sea una obra de Rueda: una máquina ajustada, nítida y, al mismo tiempo, sensible. Cada fragmento de ciudad tendría una textura familiar a todos los demás, pero ligeramente distinta, un tono más claro o más oscuro, un deslizamiento de alturas, una variación de ángulos, una textura que va de la madera lisa al travertino rugoso. Una ciudad donde cada fragmento parece haber obedecido a una regulación de superficies y colores que no es uniforme pero tampoco completamente dispar. Todo está unido por los movimientos invisibles de la máquina, pero cada una de las partes conserva su relativa independencia visual, su carácter. Fantasía de una ciudad estética imposible. Sin embargo, la fascinación inmediata que producen estas obras de Rueda debería explicarse. ¿Qué tienen de urbano que lo verdaderamente urbano desconoce o ha olvidado?

Rueda, "arqueólogo", descubre los restos de los sueños de belleza de lo urbano, como si dijera: con estos mismos volúmenes es posible construir algo diferente a lo que se construye. Pone sus esculturas en contraste con la ciudad como modelos en miniatura de lo que no es. Una pirámide remata el bloque que simula un edificio; una torre, afinada en el medio, una aguja disparada hacia arriba como en los dibujos populares de rascacielos futuristas o en los afiches de películas de ciencia ficción. La mezcla no es, sin embargo, posmoderna, sino clásica, italiana, renacentista. Los adjetivos, nuevamente, remiten a una arqueología de lo urbano que subsiste sólo en las ciudades mantenidas como museos.[101]

Nora Dobarro. Frontalidad I. Dobarro fotografió las puertas de Feira de Santana, ciudad de 500.000 habitantes en el nordeste de Brasil.[102] Todas las fotografías son frontales y, en el caso de que hayan sido eventualmente reencuadradas, no se ha roto la ley de simetría: el centro de la puerta, en todos los casos en que tenga eje central, es el centro de la fotografía, aunque las puertas más anchas impongan una levísima fuga de líneas.

Las puertas de Feira de Santana, realizadas por herreros locales, son *art déco.* O, mejor dicho, evocan el *art déco* en sus elementos estilísticos esenciales, destilados y concentrados. Al adoptar la perspectiva frontal, Dobarro se atiene al objeto respetando su principio constructivo y formal. Los metales de las puertas brillan apenas, porque se han evitado las luces que, por rebote o creando sombras, hubieran afectado la disciplina geométrica plana o de volúmenes restringidos. Las fotografías de Feira de Santana son un momento utópico de la ciudad donde, en lugar del desorden de lo social, prevalece el ordenamiento de la voluntad formal. Si la ciudad continuara la disciplina estética de las puertas de Feira de Santana se convertiría en una 'ciudad irreal', una utopía realizada en una población nordestina que, sobre lo incontrolable del uso y del deterioro, impondría el ordenamiento de los planos y de sus colores mitigados.

No hay pintoresquismo tropical en estas puertas, ni vitalismo, sino control extremo. La artista se atiene con rigor al rigor del motivo que capta, de modo que casi todo lo urbano queda afuera, como si en Feira de Santana la 'idea' de una ciudad ordenada resultara más fuerte que el descontrol de las ciudades reales. No sabemos qué hay

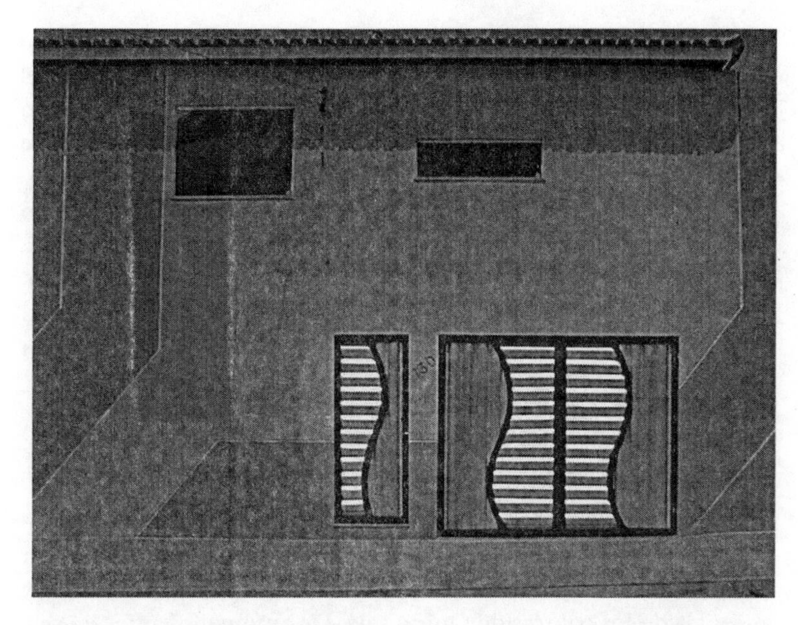

Nora Dobarro, "Escenografía".

Nora Dobarro, "Buzios".

a los costados de esas puertas, en el fuera de campo. A veces, en la parte inferior de la fotografía, aparece una baldosa rota; o, arriba, el tinglado de un galpón, las antenas de los televisores, pero no mucho más que nombre a la ciudad. La frontalidad y el control del fuera de campo agregan una dimensión suplementaria a la deliberada construcción artística de las puertas, que en algunos casos no cubren sólo el vano de una entrada simple o doble, sino el entero frente de una casa, convirtiéndola en un panel escenográfico de teatro abstracto.

Las puertas son una forma de reparación estética de la ciudad que se adivina a sus costados. Un principio de orden (de un orden popular), frágil pero voluntarioso.

Facundo de Zuviría. Frontalidad II. Graciela Silvestri afirma que fue Quinquela Martín el que "le dio su color a La Boca", y seguramente tiene razón.[103] El club Boca Juniors contribuyó a esa policromía con su bicromía azul y oro. Las de Facundo de Zuviría son fotografías de La Boca con predominio de los colores del fútbol y ausencia de los colores de Quinquela. De antemano, antes de verlas, se diría que es imposible evitar lo popular caliente, vibrante, lo popular populista, lo caliente desbordado, el temblor emocional que desencuadra y conmueve. Justamente eso *no* son las fotos de La Boca tomadas por Zuviría.

El principio de frontalidad organiza lo que podría ser una materia en estado de fusión. Esa frontalidad ya era la perspectiva elegida por Zuviría en *Siesta*, donde muestra una serie austera de cortinas de metal que cierran las puertas y las vidrieras simétricas de pequeños negocios. En La Boca de Zuviría están los colores azul y oro, en las casas, en los paredones, en carteles, inscripciones, bancos, marcos, grafitis, ordenados como si la afectividad extrema de esa combinación de colores pudiera ser enfriada por la distancia deliberada que les impone la toma frontal.

Un paredón descascarado sobre el que se pintó "BOCA" con letras gigantescas, encima de una apresurada e irregular mano de cal blanca, es encuadrado por Zuviría simétricamente, con un ajuste que sólo permite ver la inscripción y el remate superior de ladrillos viejos; la esquina totalmente azul y oro de Juan de Dios

Fotografías de Facundo de Zuviría incluidas en su libro *Cada vez te quiero más*, Buenos Aries, Ediciones Larivière.

Filiberto al 1000 aparece tan centrada en la ochava que da la impresión de ser casi plana, como si las líneas de fuga de las dos calles que se encuentran en esa ochava hubieran sido achatadas por la cámara; el primer piso de chapa con tres ventanas simétricas, y en el centro, colgando del balconcito, una bandera de Boca, es tan apaisado como la fotografía; la composición, en azul y oro, de tres cortinas metálicas que, en un sentido horizontal, reproducen las franjas de la camiseta del equipo de fútbol homenajeado, es abstracta; el banco de plaza, en cemento, plantado en la calle, reproduce, también en sentido horizontal, esas franjas; para registrar un conjunto formado por la caja registradora, la cortadora de fiambre y la balanza de un almacén, el abandono de la frontalidad permite lograr precisamente que esos objetos, pintados de azul y oro, se compongan como en una abstracción paradójicamente realista; cuatro jugadores en la cancha definen un cuadrado perfecto y sus sombras trazan también otro cuadrado.

Disciplinada por Facundo de Zuviría, La Boca es, por un lado, la bicromía ritual que el fútbol desborda sobre el barrio; por el otro, la oculta geometría que revela el fotógrafo, donde el color está dominado por la rigidez de la superficie que cubre en lugar de conmoverla. La visión busca acercarse sin fundirse con la afectividad de su objeto. Hay así dos barrios de La Boca: el del color que tiende a la insubordinación y el de las líneas que Zuviría sigue, encuadra, hace simétricas y equidistantes para subordinarlo. Representación bivalente: lo popular populista, lo popular ordenado. En algún lugar de la línea que une estos polos está el barrio.

Félix Rodríguez. Ingeniería. Estaciones, puentes, autopistas, silos, gasómetros, depósitos, fábricas.[104] Existe la ciudad de la arquitectura, un motivo clásico que Félix Rodríguez no pasa por alto, pero prefiere, en sus grabados, la ciudad de la ingeniería, de la producción y del transporte. Hierro, mucho hierro, y cemento. Opta por la ciudad que no fue construida ni al azar ni con la deliberación estilística de un arquitecto. Muestra la fisiología de lo urbano, el sistema arterial de un cuerpo gigantesco, que funciona

Félix Rodríguez, "Estación de Liverpool".

Félix Rodríguez, "Salida a la autopista".

porque allí se mueven las mercancías y las máquinas. Es una ciudad doblemente industrial, porque, por un lado, se revela el sistema arterial del transporte (la industria que mueve a las personas y a los productos de la industria) y, por el otro, sus motivos están representados como 'piezas' metalúrgicas: ensamblajes de vigas, tirantes, planchas, cables.

Materialismo industrial: un título para las series de estaciones y de puentes de los grabados de Félix Rodríguez, objetos a los que regresa como se regresa a los motivos sobre los que realmente un artista tiene algo que revelar (las frutas de Cézanne, los cuencos y las botellas de Morandi). Rodríguez elige los fragmentos de ciudad que hagan visible el peso de las materias y las representa con la dureza que esas materias tienen porque no han sido modeladas por la arquitectura ni las bellas artes, sino fundidas en el horno donde se fabrican las piezas de hierro. Los grabados con negros fulminantes o los compactos planos de un solo color no humanizan la ciudad de la ingeniería y del transporte. La ciudad donde se comercia y se vive tiene, por detrás, en sus bordes, en sus accesos, los espacios de la ciudad donde se transita y se produce: puertos fabriles, autopistas, silos de almacenamiento, aguas servidas, ríos cuyas aguas son insensibles a la luz.

El materialismo de la representación dialoga con la materialidad de lo representado. El transporte y la industria, eso que la ciudad 'linda' prefiere lejos, está sin embargo allí, en el borde, tocando los barrios por donde circula el turismo. En una xilografía de Retiro el fin de las bóvedas de hierro de la estación muestra, a lo lejos, un guinche y un depósito; en esta opción por el punto de vista industrial queda fuera de cuadro la Avenida del Libertador con sus edificios de firma. La ingeniería está en la base de las torres de Libertador, no sólo como su cimiento sino como su condición de posibilidad. La ciudad existe en su sistema de metal, el corazón oscuro de una industria que necesita de la fragua y el hierro y, por lo tanto, del negro. Paisajes sin hombres, que evocan intensamente el trabajo.

Este modelo de ciudad es sensible a la historia de los hierros: innovación técnica para la mirada historicista que conoce las primeras fotos del puente transbordador sobre el Riachuelo, el trazado de los ferrocarriles, la construcción del puerto, los viejos galpones fabriles enteramente de metal; decadencia para quien descubre hoy los restos de esa ingeniería industrial herida por la herrumbre o el abandono, lista para que un *recycling* la vuelva patio de comida, taller de artista, centro cultural o discoteca. Los grabados son así, también, un *memento mori*: esos puentes, esas bóvedas, esos silos y gasómetros, ese puerto alguna vez fueron nuevos; hoy son las pruebas de un momento optimista de la ciudad. Su grandiosidad tiene algo de lo sublime de las ruinas industriales, pero al mismo tiempo deja percibir que estos *meccanos* de la imaginación técnica fueron modernos objetos urbanos. El desgaste y la obsolescencia como temas de la fabricación industrial de ciudades.

5. La ciudad imaginada

I. EL EXTRANJERO

Leyenda. A la entrada de un edificio de Frank L. Wright, el hombre tropezó con un grupo de turistas y les dijo: "Miren bien el edificio, es histórico, y yo fui uno de los comisionados municipales que votó para que fuera declarado monumento". ¿Casualidad o delirio?

La ciudad, sostiene Mario Gandelsonas, elude siempre al arquitecto. Agrego: las leyendas se levantan contra esa elusión.

Guías de Buenos Aires. En la mejor guía de Buenos Aires que conozco, la de Diego Bigongiari, editada en 2008,[105] no están los migrantes que todos los fines de semana utilizan el Parque Avellaneda. La descripción inteligente y sensible del parque sólo menciona a los bolivianos cuando fija la frontera, en avenida Cobo, entre Koreatown y Boliviatown (como llama a los dos barrios). Nadie puede esperar sensatamente que una guía informe sobre el Barrio Charrúa, pero llama la atención que el Parque Avellaneda y el polideportivo aparezcan desiertos de sus ocupantes habituales. En el Parque Avellaneda, por otra parte, está la quinta de los Olivera, que, en una ciudad que no se caracteriza por una abrumadora cantidad de edificios antiguos, podría merecer alguna mención. Sobre el extremo triángulo sur de Buenos Aires flota una especie de maldición; incluso quienes llegan hasta Patricios y Pompeya en los recorridos que sugieren pasan por alto tanto las concentraciones étnicas de Villa Soldati y Villa Riachuelo como el Parque Avellaneda.[106]

Otra guía dedica sus tres páginas finales a los "*Tours* a la realidad" (sic), paradójico título que debilitaría peligrosamente la verosimilitud de las 381 páginas anteriores, que se convertirían en *tours* 'irreales'. La 'realidad' prometida consiste en una visita al proyecto Eloísa Cartonera (editorial que, sobre papel reciclado, imprime "material inédito y de vanguardia"), donde la guía sostiene que, a metros de la cancha de Boca Juniors, "conviven desocupados y cartoneros con artistas y escritores". La ambigüedad de ese "conviven" es seductora para el turismo *progre*. Además de esta arcadia socioestética, la guía señala el Grupo de Teatro Catalinas Sur, "un conjunto de vecinos que eligió los escenarios como espacio de participación comunitaria, memoria e identidad"; el hotel Bauen, autogestionado en el centro de la ciudad; las fábricas recuperadas y el local de las Madres de Plaza de Mayo. Pero el primer dato de este capítulo instruye al turista sobre la posibilidad de visitar e incluso vivir un tiempito en La Matanza con el Movimiento de Trabajadores Desocupados, sólo "a poco más de una hora de Capital Federal". La guía no informa sobre paseos, dentro del perímetro de la 'realidad', más sencillos y, si se quiere, más convencionales que irse a pasar una temporadita en La Matanza. Los únicos barrios para los que proporciona recorridos, con sus correspondientes subcapítulos *gourmet*, son el Centro, San Telmo, La Boca, Puerto Madero, Retiro (sin "paseo por la realidad" en la Villa 31, sensatamente excluida), Recoleta, Abasto y Once, y Palermo.[107] Todas las guías repiten estos barrios del canon turístico y no puede esperarse otra cosa. Puerto Madero es la estrella que gusta a los turistas y a los locales.[108]

Si se exceptúan San Telmo y La Boca, que están en todos los itinerarios, desde los más convencionales hasta los más sofisticados, sólo Bigongiari, los Eternautas y Mario Sabugo[109] cruzan decididamente, como Dahlmann en el cuento de Borges, las líneas hacia el sur y hacia el oeste de la ciudad. El sur también es, por supuesto, San Telmo y La Boca, pero eso no cuenta. La aversión al sur es tan fuerte que lugares que encantarían al turista, como la Plaza de los Corrales y el Museo Criollo de Mataderos, no merecen muchos comentarios. Lo que Buenos Aires tiene de particular en su presente, como mezcla de inmigrantes y de pobres, es, desde la perspectiva del turismo, inmostrable, salvo que algún militante social acompañe al extranjero en un *tour* por la villa.

Las guías escanden la ciudad por sus edificios notables, sus iglesias tardías del fin de la colonia, sus *shoppings*, sus recorridos aconsejados a extranjeros porque no tienen tramos aburridos, peligrosos o antipintorescos. Son una forma de la pura actualidad de la ciudad; si se las compara a lo largo de diez años, se puede ver qué restaurantes pasaron de moda o cuáles mutaciones afectaron el perfil cultural del turista (gente que viene por los *shoppings*, cuando el cambio es favorable; turismo gay; turistas jóvenes europeos que buscan en América Latina la insurgencia que Europa les niega, contingentes de turistas jubilados; turistas que saben lo que quieren, ya sean libros, bifes de chorizo, tango o zapatos; turistas que descubren lo que quieren una vez que arriban a la ciudad, etc.). Las guías producen ciudad imaginaria para quienes no la conocen: pedazos combinados, desplazamientos, transportes aconsejables, barrios peligrosos: andar prevenido (la prevención es la gimnasia del turista). Piensan la ciudad como traducción entre culturas, como intérpretes, *shopping assistants*, historiadores barriales, propagandistas y consejeros *gourmet*.

Las guías están obligadas al panegírico controlado por las exigencias de la verosimilitud. Algunos restaurantes deben tener algunos defectos, algunos precios deben ser un poco caros, para que las recomendaciones resulten creíbles. De todos modos, el turismo (interno o externo) no busca la 'realidad', sino un despliegue de íconos con los cuales alimentar la fantasía previa a la llegada.[110] La 'realidad' se niega al visitante que generalmente no viaja en transporte público en las horas pico, ni está sometido a la disciplina laboral de la ciudad cotidiana. Sin embargo, lo que el visitante conoce también es una 'realidad', aunque el riesgo de confundir lo característico con lo excepcional lo acompañe como una sombra.

Para quien vive en una ciudad, la realidad se conoce por estadística: frente a un acontecimiento intuye, sin pensarlo dos veces, si se trata de algo relativamente excepcional o común; no confunde lo que sucede siempre con la irrupción de un hecho inesperado u original. El habitante local posiblemente tenga imágenes muy estereotipadas de la ciudad, pero no busca construir, desde cero, sus imágenes, porque las ha ido acumulando a través de una experiencia tan distraída para algunos hechos como alerta para otros. El extranjero enfrenta otras opciones: generalmente viaja más en subterráneo y taxi que en colectivo; camina más que los locales y, por eso, al turista casi todas las ciudades seguras o más o menos seguras le parecen 'caminables', ya que sus desplazamientos no incluyen el trabajo, ni las colas, ni las esperas. El turista que camina es un caminador puro, sin interferencias, salvo la de perderse.[111] La hostilidad que enfrentan los locales en cualquier ciudad del mundo (porque están haciendo un uso económico o laboral de la ciudad) es más o menos desconocida para el turista que, a lo sumo, cree descubrir 'estilos': mayor amabilidad en Bruselas que en París, en Montevideo que en Buenos Aires.

¿Qué es el extranjero? El turismo es una suspensión del tiempo que sucede en un espacio también en suspensión, donde un rasgo que se percibe como diferente es considerado característico, porque el hecho mismo de adjudicar esa cualidad implica que ha tenido lugar un acto de conocimiento de lo diferente y, en consecuencia, se ha cumplido con la misión turística. La evidente circularidad interpretativa se acentúa en las ciudades que, como Buenos Aires, no proliferan en 'notas' originales.

El turista llega a una ciudad extranjera con la misión de captar, de pronto, su cualidad, su clave. No necesariamente una ilusión, sino un énfasis que otros, los locales, no interpretarían del mismo modo. Ambiciona que se le revele una porción de ciudad o algo que efectivamente sucede allí, colocándola en una jerarquía que los locales juzgan inmerecida. En las ciudades extranjeras se encuentra aquello que se piensa perdido en la ciudad propia, donde se experimentan las transformaciones día a día y siempre puede sentirse que lo que está ocurriendo traiciona algo que la ciudad fue. En la ciudad extranjera no es necesario padecer esa nostalgia porque su pasado, aunque resulte conocido, no fue el pasado del visitante que se siente libre de una reminiscencia que siempre le sería ajena. La ciudad propia impone el entusiasmo o la frustración de sus cambios, la ciudad extranjera presenta sus cambios en *ralenti* o, sencillamente, los oculta bajo la forma del hecho consumado. La ciudad extranjera también suele disimular las distancias y las proximidades:

los turistas no saben que, a mil metros de Puerto Madero, está la villa miseria del Doque. Los locales que lo saben, mientras comen en Puerto Madero o pasean por el obrador que es el "Faena District", tienen que olvidarlo.

El tiempo del extranjero que pasea por la ciudad es favorable para la percepción del detalle que, intensamente captado, comentado, fotografiado, empieza a tomar las dimensiones de un rasgo o de una cualidad estable. Si todos los días, porque es un ocioso, un visitante sin apuro toma su trago en un bar y mira por la ventana mientras escucha una mezcla de sonido de televisión y conversaciones entre mozos y clientes, esa sociabilidad se convierte en *lo propio* de los bares de tal ciudad. Un turista que durante dos semanas transcurridas en Nueva York come pizza de madrugada casi todos los días, llega a pensar que ese consumo extemporáneo, hecho posible por un pequeño negocio de la Séptima Avenida atendido por unos rumanos trabajadores y amables, es un rasgo de la noche neoyorquina, algo que la ciudad pone generosamente a disposición de todos sus habitantes. Se engaña, pero eso será Nueva York para él.

La intensidad de la experiencia de la ciudad, cuando es extranjera, se convierte en cualidad decisiva. Un hombre lee en el subterráneo, dos estudiantes leen, sentados frente al hombre, un árabe que está parado junto a ellos también lee. El turista concluye que todavía hay cultura del libro en la sociedad francesa, mientras que en otras partes se habría perdido. No somete su impresión a otros datos. Del mismo modo, la abundancia de librerías en Buenos Aires es una cualidad que el turista no se preocupa en contrastar con el número de libros leídos por habitante.

Extranjeros en una ciudad, los turistas fantasean mapas intelectuales, indispensables porque la ciudad es una desconocida. Un escritor (Martín Kohan, por ejemplo) escribe en bares: ¿cuánto de esta elección tiene que ver con lo que sucede en los bares de Buenos Aires? El extranjero cree saberlo: en los bares, la gente permanece horas con un libro o llenando páginas en blanco. Probablemente el extranjero haya percibido algo que sucede efectivamente, pero lo coloca bajo una luz que sorprendería a los locales y lo convierte en 'rasgo'.

La percepción del extranjero es pura *ostranenie* y, cuando se la comunica a los locales, las cosas aparecen ordenadas de modo inesperado o insólito. Pero la *ostranenie* no es una percepción equivocada (¿qué significa eso?), sino una percepción sacada de quicio, *depaysée,* que arrebata las acciones y los objetos más banales para ponerlos en un escenario de teatro, donde lo que sucede ya no es el curso desorganizado de la realidad sino el desarrollo de una trama. Para moverse en la ciudad extranjera, el turista no tiene más remedio que construir un argumento y definir personajes.

Se lee a los viajeros que escriben sobre la ciudad propia con una mezcla de dos curiosidades. La primera, mezquina, impulsa a descubrir los 'errores', como si la escritura tuviera que ser sometida a las pruebas que debe cumplir un manual con el recorrido del transporte o la localización de hospitales y comisarías. La segunda es una curiosidad intelectual y estética. En última instancia se busca una respuesta a la pregunta sobre lo que el otro vio y pasa desapercibido para los locales porque es poco significativo cuantitativamente (idea banal de que una imagen de ciudad se construye con los métodos de una encuesta); porque ha sido pasado por alto aunque, en el momento en que el extranjero lo registra, empiece a ser reconocido; o, finalmente, porque no se lo creía un rasgo peculiar, que pudiera identificar la ciudad propia. El argumento del extranjero señala una tipología o un 'estilo', desgajándolo de su experiencia local cotidiana y de su historia, para centrarlo precisamente por medio de su descentramiento. Lo coloca en otra parte, y lo transforma en algo central para la mirada descentrada del extranjero.

Ventajas de la *ostranenie.* Sin embargo, todo descentramiento corre el riesgo de alejarse demasiado de su objeto, volverlo irreconocible, aunque también allí esté su productividad. Alejarse *lo suficiente* es una consigna conservadora, incumplible. Correr el riesgo de alejarse demasiado implica también poder construir una distancia exacta, la que permite ver lo que no puede verse desde la proximidad.[112]

Design. "Hoy existen tan pocos rasgos, que se tiende a exagerar y agrandar cualquiera que se encuentre, hasta tocar el punto de la hiperidentidad. El 'regionalismo crítico' se ha convertido en 'hiperregionalismo', fabricación de diferencias regionales después de su borramiento y desaparición."[113] En esa lógica hiperidentitaria, la ciudad como mercancía turística está obligada a ofrecer no sus similitudes con otras ciudades, sino sus diferencias geográficas, demográficas, culturales. En lo posible, la ciudad debe resumirse en una marca que sólo remita a ella, como un logotipo: la bahía de Río de Janeiro o de Nápoles, el Rockefeller Center y el Empire State Building, Nôtre Dame y la torre Eiffel, el Coliseo y la Plaza de San Pedro, el Guggenheim de Bilbao, la Ópera de Sídney, la Cibeles o el Obelisco.

El logotipo no es la ciudad, como el logotipo de Nike no son las zapatillas ni el de Wilson las raquetas. El logotipo es la síntesis de las referencias reales e imaginarias que se depositan sobre el nombre de la ciudad como espacio turístico, entre las que se elige alguna no simplemente por su significación o su belleza sino por su celebridad (y si esa celebridad no existe, se la produce). Semiosis pura, el logotipo permite, como el signo, identificar y diferenciar; identificar por cualidades específicas, es decir, identificar a través de la diferencia. Sólo se llega a ser una ciudad turística si se posee algo que pueda convertirse en logotipo, de manera que tampoco es tan fácil ese proceso de identificación semiótica, porque existen ciudades que primero han debido construir la base material de su logotipo (la Ópera de Sídney, el Guggenheim de Bilbao) para luego sintetizarlo como marca. Antes del Obelisco, Buenos Aires no podía tener logotipo, no sólo porque aún no existía, en su desarrollo pleno, una industria de marcas para ciudades, sino porque no ofrecía al signo su base material. Después del Obelisco, el logotipo apareció sin que nadie probablemente lo previera. Instantáneo. Es decir que el logotipo no se elabora siguiendo solamente las leyes de la producción de mercancías, sino más bien en un entrecruzamiento simbólico entre lo real urbano y lo imaginario urbano.

Sobre el logotipo, en algunos casos, se acumula un signo verbal: la ciudad que nunca duerme, la meca del cine, la ciudad luz, la ciudad del tango, la ciudad santa, etc. La lógica de estos clichés es similar a la del logotipo, porque resume cualidades diferentes en un solo rasgo, aunque éste no sea una descripción de lo 'real' sino una metáfora. La imagen verbal funciona como los sobrenombres de los famosos: sólo los poseen quienes se los han ganado. Algunas ciudades tienen logotipos reconocidos; otras, muchas menos, tienen, además, imágenes verbales sintéticas. En una época donde la identidad es todo (derecho y deber de tener una identidad o varias, mejor varias en el mundo globalizado), la ciudad multiplica el ícono identitario comunicándolo con las técnicas del *design*. La verdad no está en juego en la identidad que es, por definición, la máscara de aquello que no puede definirse. La identidad no es un sustrato sino un efecto de superficie.

Autenticidad. Escribió Françoise Choay en 1994:

> En Canadá, la Place Royale, emblema del viejo Quebec, fue diseñada después de la Segunda Guerra Mundial, destruyendo todos los edificios construidos desde la ocupación inglesa y recomponiendo, pese a las antiguas huellas, un conjunto a la francesa que no está sostenido por ningún documento de época, ya sea un catastro de las parcelas o un registro de la arquitectura; la plaza, pese a todo, fue incorporada a la lista del patrimonio mundial. De hecho, en la práctica actual del patrimonio histórico, el concepto o, más bien, el no-concepto de autenticidad es tan vago que permite todas las manipulaciones y garantiza procedimientos antitéticos. En nombre de la autenticidad en Italia se blanquearon las fachadas del Palacio del Té en Mantua, mientras que una inyección de productos químicos permitió fijar duraderamente la fachada del palacio Della Ragione en su estado actual de decrepitud. [...] Se puede concluir que la noción de autenticidad no presenta ningún valor operatorio para la disciplina que tiene como tarea la de

conservar el patrimonio histórico. Ésta disciplina sólo avanzará si abandona la retórica de la autenticidad, hace el inventario y analiza todas las nociones complejas y muchas veces ambivalentes asimiladas o asociadas a este término (original en sus dos acepciones, conservación, reproducción...) y elabora una casuística enriquecida por una batería de conceptos operatorios.[114]

Autenticidad y copia. Fue un lugar común, hasta los años sesenta, comparar a Buenos Aires con París (comparación que no he leído en el texto de nadie que conociera bien París). Cuando se comparan ciudades como París y Buenos Aires es evidente que no puede recurrirse a la prueba de un tramo de dos cuadras en avenida Alvear. La comparación era un antiguo deseo.

Hoy esa comparación ha caído, demostrando, entre otras cosas, que comparar no es describir, sino que, con frecuencia, la comparación obstruye la descripción, porque una de sus cualidades es poner en juego lo imaginario. Tanto en los nuevos tipos de espacios públicos (el *shopping* es uno de ellos), como en los semipúblicos (los edificios de acceso restringido, para viviendas u oficinas) y en los paseos urbanos, como Puerto Madero, la comparación elige entre modelos muy diferentes (Barcelona; todas las renovaciones de viejos puertos convertidos en centros comerciales, administrativos, residenciales o turísticos, desde San Francisco a Londres y Liverpool; Miami como modelo de extensión del espacio privado de la vivienda sobre la calle y la costa, que privatiza o reduce a un mínimo los lugares de acceso abierto). Gorelik subraya que lo que caracteriza a Buenos Aires es un *mix* de modelos, en cuya elección podría descubrirse su rasgo distintivo más original.[115] Si no hay modelo, tampoco hay imagen única a lo largo del tiempo, sino tendencias cambiantes del mercado o impulsos de la cultura. En Buenos Aires, el deseo de ciudad ha ido cambiando su objeto.

Aunque parezca una paradoja, lo auténtico 'original' no existe en ninguna ciudad que tenga historia, donde el tiempo ha pintado capa sobre capa, y los relieves que se ven bajo las sucesivas intervenciones no pueden ser atribuidos a una base originaria sino a la argamasa de grumos incalculables. La reconstrucción más perfecta (a la manera de Dresde) no produce autenticidad sino una imagen de lo que fue, una copia que puede visitarse como museo. Pero incluso antes de la Segunda Guerra, la tentación de construir copias de edificios 'originales' que no habían existido como tales recibe el impulso (moderno) de las tendencias historicistas en búsqueda de fundamentos populares. En el Montjuich, a pocos centenares de metros del pabellón de Mies van der Rohe construido para la Exposición Internacional de Barcelona en 1929, se levanta el Pueblo Español, cuyos 117 edificios son "fieles copias, clones arquitectónicos" a través de los que se buscó "construir un recinto como síntesis de la arquitectura popular española".[116] Pero también el pabellón de Mies que hoy se visita es una copia del construido en 1929.

Sólo a los expertos les importa distinguir la copia del original (perdido u oculto bajo napas de tiempo materializado); sólo ellos se empeñan en atravesar las napas materiales de tiempo para decir: este dintel no estaba cuando se construyó esta puerta. Salvo para ellos, la autenticidad es un efecto y no un dato; para los no expertos, es decir, para la mayoría, la autenticidad pertenece al orden de la experiencia del aura. Pero la autenticidad experimentada es bien distinta de la autenticidad que el experto reconoce, porque si él se equivoca en el reconocimiento, salta la falsedad; mientras que la experiencia *no* puede equivocarse, ni el error está dentro de sus posibilidades. Sobre esta cualidad de la experiencia que se guía por figuras se apoya la reconstrucción temática en las ciudades.

La idea misma de reconstrucción temática hace del fragmento urbano un "teatro de la memoria",[117] pero de una memoria producida como efecto de la reconstrucción, de una memoria que no existiría sin la reconstrucción.

Café. Escribe Oliverio Coelho:

> Entró a un bar angosto y largo, uno de esos cafetines que alguna vez abundaron en el centro de Buenos Aires. La luz ámbar se acentuaba en los espejos de ángulos comidos. La barra de madera, precedida por asientos giratorios atornillados al piso, mantenía el estilo pesado y oblicuo de los años cincuenta, aunque la tapa del mostrador

> ahora era de aluminio y la estantería de licores estaba formada por repisas de vidrio estribadas sobre un espejo romboidal. En el mostrador había tasas de café sucias, y en una campana de vidrio se exhibían medialunas calcificadas, sándwiches por cuyos bordes asomaban costras de fiambre, nugatones con envoltorios rojos, y unas moscas que no salían de su trampa de cristal y cada tanto se frotaban las patitas delanteras perversamente, como si gozaran siendo observadas.[118]

Un bar tan auténtico no lo reconstruye sino la literatura.

Auténtica imitación de cualidades imaginadas. Se reconstruyó, en cambio, el Café de los Angelitos, agrupando signos en estado de pura y vibrante connotación, para indicar lo que nunca estuvo allí pero debió estar si el relato sobre Buenos Aires sigue la sugerencia del mito. La construcción temática del Café de los Angelitos, una invención urbana, pertenece a las artes de la escenografía, no de la restauración ni de la preservación. La esquina de Rivadavia y Rincón ofrecía un plus que valorizaba el predio, porque allí estuvo el bar mencionado en un tango famosísimo de José Razzano con letra de Cátulo Castillo. Cuando se inauguró el nuevo café, los diarios de Buenos Aires coincidieron en señalar que se trataba de la recuperación de "un ícono de la cultura urbana".

Lo que se recuperaba en realidad era un espacio simbólico, ya que el mencionado "ícono" había decaído miserablemente hasta su cierre en 1992. Antes de ese año el local, donde se escuchaba tango de noche y funcionaba como café de barrio durante el día, carecía de cualquier marca de pintoresquismo, como suele suceder con los lugares cuyos rasgos visuales no son portadores de una originalidad autoconsciente. Fundado en 1890, el viejo café había sido, en efecto, una parada para muchos: Carlos Gardel firmó en una de sus mesas el contrato para grabar con Odeón y el tango recuerda la presencia, incluso más arcaica, de payadores como Gabino Ezeiza, Higinio Cazón y Betinoti. Tocado por la decadencia que había afectado al tango en las últimas décadas del siglo XX (antes de su salvador renacimiento en Broadway), podría recordarse que Raúl Berón murió horas antes de una de sus presentaciones allí, en 1982. Los vecinos del barrio defendieron lo que, en cada etapa del Café de los Angelitos (que atravesó varias, incluso una, de mediados de la década de 1960, en la que se convirtió en "Munich Los Angelitos"), representó como "ícono", para usar la palabra preferida por el periodismo entusiasta. Mientras estuvo cerrado, el edificio, ya en situación de obsolescencia terminal, sufrió el hundimiento de sus techos, y la 'reconstrucción' actual no es en realidad sino una construcción nueva.

Lo que no debía perderse era la esquina, con su generosa oferta de mitología consagrada en la letra del tango de Cátulo Castillo, que, como muchos tangos, presenta con sinceridad sentimental el tema del *ubi sunt*, característico de un presente destituido, que ya era destituido en 1944 cuando Castillo la escribió, recordando con apropiada nostalgia los "tiempos de Carlitos", necesariamente anteriores a 1935, y los más remotos de Gabino Ezeiza y Betinoti. El Café de los Angelitos ya era un ícono porteño pretérito incluso cuando funcionaba en los años setenta y ochenta, y ese carácter pretérito se acentuaba por dos razones: todavía faltaban algunos años para el renacimiento actual del tango, y la esquina de Rivadavia y Rincón era un enclave que subsistía en uno de los barrios porteños que estaban decayendo.

Si se examinan las fotografías históricas y el frente actual del local, es fácil comprobar que lo único que se ha mantenido es el remate de la ochava: dos ángeles que sostienen un pergamino donde se lee el nombre del establecimiento. De todo lo demás no queda nada y, sin embargo, este borramiento de una fachada sin cualidades no suscita ninguna nostalgia, ya que la esquina se ha llenado de elementos icónicos. Frente a la plenitud simbólica del presente sería inverosímil que alguien se preguntara dónde ha quedado el horrible toldo metálico (fotografía de mediados de la década de 1960) que estaba en el lugar de la actual marquesina elegante, ni dónde fue a parar el cartel que decía "Munich" o "Terraza". Nadie puede recordar con nostalgia el café que muestra una fotografía de los años cincuenta, las paredes pintadas de verde claro, mesas y sillas comunes y corrientes, plástico en las pantallas de las lámparas y en las tapas de los mostradores, un escenario mezquino y, como único rastro de su historia, el friso de páginas de periódicos colgados a una altura que los volvía invisibles.

El Café de los Angelitos de Castillo y Razzano nunca tuvo, como tiene ahora, un vitral sobre la puerta de entrada donde se representara el mismo café como duplicación en el presente de una imagen de los años cincuenta. Este Café de los Angelitos ofrece, en cambio, esa singular duplicación; la luneta sobre la doble puerta reproduce la misma esquina de Rivadavia y Rincón en su primigenia sencillez: el momento original en el que se quiere fechar el mito, aunque el café de fines del siglo XIX haya estado allí más de sesenta años antes de la época atribuida a la escena del vitral, que coincide aproximadamente con la fecha en que Razzano y Castillo compusieron el tango, que inaugura el mito del café.

Como sea, la naturaleza aborrece el vacío tanto como los barrios aborrecen la desaparición de lugares que ellos mismos contribuyeron a debilitar y luego comienzan a defender como 'íconos'. El actual Café de los Angelitos tiene dos zonas perfectamente separadas: la de atrás, con escenario y gran restaurante con palco lateral que recuerda el de los clásicos *night clubs*, es la del consumo turístico local o internacional, caro. La de adelante, comunicada con la calle a través de grandes ventanales que sólo llevan una guarda sencilla, está ocupada casi siempre por un público de la zona y aledaños, que escucha distraídamente al músico que toca subido a la pasarela que remata el bar. Esta sección 'local' del nuevo café responde, de algún modo, a la movilización del barrio por su reapertura. Lo más auténtico es el piso de viejas baldosas calcáreas que provienen de las vidas anteriores del café.

El resto es un bar temático bastante discreto pese a la profusión de iconografía clásica en sus paredes: retratos que preside Gardel, flanqueado por Libertad Lamarque y Aníbal Troilo, trinidad a la que en un extremo acompaña el daguerrotipo de Gabino Ezeiza que no llega de la memoria de ninguno de los actuales parroquianos, sino, por vía directa, de la letra del tango. Además de algunos héroes nacionales, como Fangio, Borges y Pepe Arias, está presente toda la familia tanguera, con sus diversas dinastías y tribus; es un parnaso o, si se quiere, la selección nacional de la cultura popular porteña musical y cinematográfica. Una muchacha, vestida de negro y con chambergo, lleva colgando del cuello lo que en los *night clubs* era la caja de los cigarros, que ahora ofrece una muestra de los *souvenirs* que se venden en el café *shop*. Los mozos, de delantal negro largo, podrían interpretarse como una estilizada cita del "Munich" que el local fue en algún avatar de su vida anterior, o tal vez la ausencia de chaquetilla sea simplemente un dato elegido para 'dar época' (aunque ese delantal largo hoy prolifere en los 'restós' *cool* de toda la ciudad).

Bar temático discreto, si se piensa en todos los excesos acumulativos que la artificiosa memoria tanguera hubiera podido convocar. Sin embargo, no deja de ser un bar temático, en el cual los lugareños entramos en una nave del tiempo donde lo construido no es solamente la *nave* sino también el *tiempo*. La nave es la escenografía de una invención: el tiempo de antaño. Esta sensación perturbadora para quien la experimente no es la misma que puede sentirse en el café Tortoni, donde la ausencia de graves fracturas en su historia hizo posible que el local, tocado y perfeccionado, no sea diferente del que fue hace cuarenta o cincuenta años. El Café de los Angelitos, en cambio, se llama así sólo por la resolución de conservar un nombre adherido a la poesía feliz y melancólica de un tango. Si se excluye el nombre, toda la empresa pertenece al orden de una escenografía que reproduce la 'idea' de una época, a partir de estilemas sueltos e incongruentes: el palco donde se toca música evoca palcos originales, pero los vitrales autorrepresentativos son imposibles en cualquier estadio anterior; las mesas con tapa redonda de mármol y las cuadradas oscuras de madera no contradicen las baldosas del piso, pero la iconografía de las paredes no podría pertenecer a ningún momento del pasado de ese local. El público del bar, un domingo a la tarde, llega desde las cercanías, pero su composición ha cambiado y las familias que consumen gigantescas porciones de torta con tazas de chocolate no son afines a nada que pueda recordarse de ese bar en el pasado.

La incongruencia entre rasgos de estilo y de públicos, que provienen de diferentes estratos del pasado y del presente, es lo que acentúa la idea de un bar donde se ha fabricado un tiempo pasado en el que los porteños somos todos turistas por dos razones: porque se evocan años de los cuales no puede haber sobrevivientes (y en este sentido la 'autenticidad' es como la de muchos escenarios temáticos, a partir de las invenciones de Disney) y porque se los evoca a través de imágenes que nunca hubieran podido coexistir de ese modo, en ese espacio. La edificación del Café de los Angelitos es descripta (en el folleto y la página web) como "Testigo vivo de Buenos Aires". ¿Testigo de qué? Testigo del presente y no del pasado, prueba de que la ciudad tiene, *a pesar de todo*, un pasado reconocible en rasgos estilísticos que pueden codificarse, organizarse y revivir. En una era obsesionada por la memoria, nada asegura tanto la autenticidad de una invención como un falso recuerdo.[119]

Indiferencia y minimalismo. Opuesta a la reconstrucción temática de lugares, crepita una autenticidad irreconocible porque carece de cualidades atribuibles a un 'original' y, en consecuencia, no puede ser soporte de ninguna operación pintoresquista. Esa autenticidad débil es ausencia de pretensión representativa, indiferencia respecto de lo que se considera típico, descuido de los rasgos que han sido codificados en el alfabeto de las guías turísticas. Hay pedazos de ciudad que podrían pertenecer a 1920 con razones mucho más fundadas que las que exhiben los bares de tango que, tal como hoy existen, no existieron nunca y son el resultado de un renacimiento musical que comenzó en el exterior y sólo después triunfó en Buenos Aires. Hay lugares que persisten sin querer persistir, carentes de conciencia de que son idénticos a otros del pasado. Se trata de la 'autenticidad' de espacios sin connotaciones suplementarias, que no sufrieron la superposición de un decorado falso-auténtico. Pongo un ejemplo.

Los volantes de propaganda, dedicados al turismo y a tranquilizar comensales que no quieren la aventura de nuevas cocinas, dicen: "Un lugar diferente con puro estilo argentino". Las pizarras exteriores anuncian pastel de papas, locro, albóndigas, lentejas o mondongo, ñoquis, asado de tira "para 2 comen 3", milanesa a la napolitana, filet de merluza con puré. El restaurante es una especie de museo retro no deliberado, cuya autenticidad se sostiene en la falta de decoración y de remilgos, los mozos y mozas de capas medias bajas (a diferencia de los que presumen como conocedores *gourmet* o estudiantes de diseño en Palermo), el menú sin invasiones de ninguna 'fusión' diferente de la fusión tradicional de la cocina porteña, el tamaño de las porciones, la ausencia de presión sobre los clientes, que son olvidados en sus mesas, y el obsequio de una empanada frita como aperitivo.

En el viejo centro de la ciudad, del lado sur, ocupa la planta baja de un edificio de los años veinte, o quizás un poco anterior, cuyo primer piso tiene una serie idéntica de nueve ventanas descascaradas, con remate de arcos mozárabes y balcones de hierro, salvado de la demolición o el reciclado porque la zona todavía no convoca grandes inversiones inmobiliarias. Está encerrado en un tiempo que lo mantiene fresco y vivo pero indemne a cualquiera de las innovaciones que, incluso en ese barrio decadente, afectan, por el lado del tango, a otros locales más tradicionales.

Inmóvil bajo su campana de cristal de tiempo, condensa lugares comunes. Por eso gusta, y muchos que no pueden recordar restaurantes similares de hace cuarenta años lo frecuentan porque, en la falta de estilo, en su desnudez de pretensiones, encuentran una sombra de autenticidad que es, por supuesto, ilusoria. No aspira a la autenticidad, que es un valor que siempre se cree perdido por alguna razón y que siempre hay que buscar en un lugar donde habrían quedado escondidas las semillas que podrían germinar monstruosamente, sin duda, en el presente. La autenticidad es romántica y este restaurante es, más bien, realista.

No permite demasiadas ironías por su despojamiento absoluto de elementos cursis. No hay fotos que evoquen pasados gloriosos, deportivos o tangueros; los mozos y las camareras no tienen rastro posmoderno retro ni retro a secas; el menú no presenta *revivals* sino platos normales, pero sin el agregado que hoy puede encontrarse hasta en los lugares más culturalmente barriales: no hay batatitas ni papitas, sino papas y batatas fritas o en puré.

La ausencia de *kitsch* es la marca. Gélido, ortogonal, barrido por una luz implacable ya que toda su apuesta está en una cocina que no tiene nada de especial sino la abundancia. Como si el restaurante presentara las formas abstractas de la comida porteña, sin inflexiones post, sin caprichos de modernización trucha, sin nostalgia, sin distancia, sin, por supuesto, extrañamiento.

A veces encontramos una autenticidad *minimal* muy difícil de distinguir de la simpleza o la vulgaridad lisa y llana. Se acomoda en el pasaje entre lo que ya no existe y lo que casi no existe, pero sin conciencia de esta precariedad (para cualquiera sería una precariedad). Es puro presente. No se puede hacer allí un festival revivalista.

Los turistas, por supuesto, no lo entienden ni lo frecuentan. A algunos extranjeros, interesados en tanta perfección de la ausencia de signos, hay que explicárselo. ¿Cómo se puede ser típico y no serlo al mismo tiempo? Inadecuado para convertirse en mercancía turística, el restaurante resiste el pintoresquismo y se niega a prosperar en la ciudad de los visitantes llegados de afuera.

III. LA CIUDAD CULTURAL

La "era de la Cultura". Escribe Otilia Arantes:

> En verdad, nunca se habló tanto de la Cultura y sus derivados como en estos días. Es muy posible que sólo en inglés –la lengua general del planeta– el número de revistas especializadas en cuestiones llamadas culturales haya alcanzado cifras inflacionarias. La tradicional editora

> Routledge lanza un promedio de dos o tres títulos por semana sobre el tema. Sin mencionar la circulación internacional de coloquios y eventos similares. Es mal negocio que no sea el eje en torno al cual parece girar la Era de la Cultura en la que supuestamente vivimos. Una edad en que la noción de cultura se expandió hasta el punto de abarcar prácticamente todas las dimensiones de la vida social. No existe experiencia ni artefacto que no se presente investido de algún significado cultural. [...] Todo es pasible de asociaciones simbólicas, todo posee referencias a prácticas y tradiciones locales –valores olvidados y reactivados por esta nueva moda cultural que parece querer devolver a ciudadanos cada vez más disminuidos, no sus derechos, materialmente y socialmente envilecidos, sino su "identidad", mediante el reconocimiento de sus *diferencias "inmateriales"*. Todo sucede como si el reino del espíritu triunfara finalmente sobre la materia, guiando un mundo dividido en la dirección pacificada de una reconciliación global, por lo menos en el plano de la inmaterialidad, comenzando por la dominante dimensión video-electrónica. Al mismo tiempo, tal acumulación de "capital simbólico" redunda en una expansión de las instituciones y en una ganancia material nada despreciable para los productores culturales. [...] Los megaeventos se suceden por todas partes. No hay más obras, sino "paquetes" destinados a activar el turismo cultural, incluso sin que la gente se vea obligada a trasladarse, ya que las muestras y cursos se convierten en itinerantes o se reproducen técnicamente en tal o cual sala, como ocurre con casi todo lo que se planea adecuadamente para transformarse en imagen electrónica.[120]

Cultura, religión urbana y cívica. A fines del siglo XX y comienzos del XXI, un poco en broma, quien salía de Buenos Aires hacia el sur, atravesando Avellaneda en tren o en auto, observaba gigantescas instalaciones que ya habían empezado a oxidarse: los galpones de las fábricas cerradas, tinglados de chapa clausurados con o sin sus máquinas adentro, chatarra. Un poco en broma, con el sarcasmo propio de las situaciones desesperadas, se podía decir: "Mañana serán centros culturales".[121] Eso no sucedió porque naturalmente el Gran Buenos Aires es una región situada en Argentina y no en Catalunia, pero el sarcasmo provenía de una idea: lo que deja la industria lo toma el mercado inmobiliario y lo da vuelta. O, peor todavía, queda diezmado por la acción conjunta de la desolación paisajística y la miseria. Donde había fábricas modernas en los años sesenta hoy tienen lugar festivales de poesía y video, instalaciones, teatro comunitario para desocupados o subocupados, hiperactuales también, el *cutting edge* de la siempre renovada utopía vanguardista de unir arte y vida, que vuelve en la era post, cuando menos se la esperaba.

La conversión del espacio público en territorio inseguro de pasaje y el deterioro de edificaciones anteriores, donde se desarrollaron procesos productivos que han caducado o se han trasladado a otras zonas, dejan extensiones devastadas y edificios en descomposición, que, a menudo, la cultura ocupa compensando simbólicamente una autonomía que es improbable por el camino de la política. Las fábricas recuperadas por sus trabajadores, después de procesos de quiebra o vaciamiento desde finales de la década de 1990 hasta comienzos de la siguiente, buscaron formas de combinar nueva cultura juvenil con vieja cultura de resistencia obrera y centros de la izquierda política. IMPA es la sede de un centro para el que se ha elegido el nombre de La Fábrica Ciudad Cultural, articulando en esa denominación el lado productivo y el lado urbano, que es, por otra parte, insoslayable porque está en un barrio del corazón de Buenos Aires: Almagro. El discurso que, desde afuera, sostiene la Ciudad Cultural incluye descripciones como la siguiente: "Los obreros que recuperaron para su cooperativa la fábrica de aluminio y papel quebrada y abandonada por sus propietarios, y ahora organizada en forma de cooperativa, pasean con paciencia y amabilidad a los turistas culturales y a los artistas, a los productores de publicidad en busca de escenarios para spots y a los militantes". Para quien describe esta dinámica de comunicación entre fracciones sociales viejas y nuevas (del *design* a las industrias de la cultura, que incluyen el turismo europeo de izquierda), IMPA es "una provocación cultural y un proyecto político, un feliz momento de conjunción de saberes y generaciones, donde se produce arte y se hace arte de la producción. Seguramente irrepetible como modelo, la Fábrica Ciudad Cultural es a la vez utopía de una sociedad mejor (donde la alegría del trabajo sea a la vez la alegría de la cultura) y pragmática herencia de luchas, saberes y sueños de los trabajadores de Buenos Aires".[122] Grisinópolis, otra de las fábricas recuperadas, tuvo un fugaz centro cultural, del que se prescindió al mismo tiempo que se decidía que las agrupaciones políticas comenzaran a hacer su trabajo fuera del predio del establecimiento, lo cual es una coincidencia significativa. La Imprenta Chilavert, en cambio, mantiene su centro cultural que, según uno de sus dirigentes, forma parte de la red de apoyo solidario creada con los vecinos cuando éstos sostuvieron a los obreros durante un conflicto y ocupación.

La 'fábrica-centro cultural' es fundamentalmente un concepto: allí donde hubo producción, los obreros vuelven a controlarla según los ideales cooperativos de una dirección tan horizontal como lo permita el proceso de trabajo, y a esa iniciativa de reorganización laboral (provocada no como búsqueda de autonomía sino como reacción ante las crisis económicas que los dueños no enfrentaron) se suma la idea de una alianza entre lo cultural y lo productivo que forma parte de la imaginación socialista o libertaria. No se convierte a la fábrica en centro cultural porque la base de edificación industrial ofrece una escenografía atractiva para las actividades artísticas (como el caso de Ciudad Cultural Konex), sino porque el trabajo intelectual y el manual, separados por las formas capitalistas de producción, pueden encontrar en una isla urbana nuevas modalidades combinatorias. Como si fuera posible revitalizar una figura de obrero que estrecha la mano del artista, que pareció quebrarse varias veces en el siglo XX, comenzando por los desdichados avatares de la revolución en Rusia.

Sin embargo, lo que sucede en este movimiento de confluencia de cultura y trabajo (que también confluye a la manera posvanguardista *cool* en Eloísa Cartonera) es también la crisis del trabajo y la crisis de la política. Los que permanecen en las fábricas ocupadas son, según los testimonios e informes, los obreros más viejos, que no están en condiciones de volver al mercado de trabajo y reemplearse; incluso si aumenta la oferta, por muchos motivos serían rechazados. Los acompañan los militantes de los pequeños partidos de izquierda, los jóvenes, los turistas extranjeros, los artistas: la enumeración es tan variada como la realidad que pretende captar. En ese clima se da la conversión cultural de los espacios fabriles o su uso doble (producción/espectáculo; aprendizaje de técnicas artísticas y artesanales/aprendizaje en la conducción de una fábrica). La fábrica cultural es un instante reconciliado de la relación entre obreros y capas medias, acontecido en una época donde la culturalización es un estilo y una onda.

Cuando en 2004 comenzaron los trabajos de reconversión de un viejo predio industrial en la Ciudad Cultural Konex (todo edificio quiere llamarse "ciudad", sea Konex o IMPA), mientras Clorindo Testa realizaba el proyecto, Diana Saiegh era la curadora de otro que llevaba el inevitable nombre de "Transabasto": "La idea prohijada por Saiegh es que cada artista participante se apropie de un territorio en la vieja fábrica y que, con los elementos existentes, trasvase ese desaparecido concepto industrial, que dejó de funcionar hace mucho tiempo, en una obra de arte".[123] Parece una broma, pero es así: con los restos de los medios de producción, que eran precisamente el símbolo de la crisis que condujo a la Argentina a un estado casi final, hagamos cultura: la cultura repara. ¿La cultura repara?

Sin ausentarse del todo de sus promesas, ya durante la crisis, la cultura le dio otra oportunidad a Buenos Aires, sostenida por el inesperado auxilio del valor del dólar, el llamado *boom* inmobiliario,[124] el *revival* del tango, y la opción de las vocaciones juveniles por el *design* de imagen y sonido, sostenida por la universidad pública y cientos de centros privados, vocaciones que se fortalecen y prolongan más allá de la adolescencia porque la cultura es mercado de trabajo. Una tercerización cultivada corre en paralelo con los diezmados de los años noventa. Tendencias nacionales e internacionales se cruzan en la vuelta del siglo.

Buenos Aires hoy es ciudad cultural-turística. Un destino que a comienzos del siglo XX creyó que le pertenecía por un desplante de la superioridad enarbolada frente al resto del país y de América Latina hoy se le revela como salida 'vocacional' y económica. Lo que fue equivocado destino manifiesto (que siempre es equivocado) pasó a ser opción del mercado apoyada por el periodismo y la política, como si un florecimiento cultural le devolviera a la ciudad no lo que ésta fue sino lo que debió ser, justamente en el momento en que el país dejaba de ser lo que había sido.

¿Habrá que hablar del Faena District como del lugar donde el mercado se expresa en términos que para cualquier otro serían utópicos? Y, por otra parte, si en Londres los laboristas descubrieron hace pocos años que un tercio de los empleados pertenecía a los servicios culturales, ¿por qué no en Buenos Aires?

La ciudad como fábrica cultural, una vez que ha bajado el telón sobre la política moderna. Lo nuevo de la ciudad provocá la "amnesia territorial y nos obliga a vivir en sitios indiferentes, cuyo rol se limita a servir como soporte a las funciones de una sociedad instantánea... El desarraigo de la arquitectura y de los diferentes establecimientos humanos, separados de su suelo, de su clima, de la luz que los baña y de su historia, se parece al desarraigo que rompe 'la armonía de las flores cortadas' que evoca Jung".[125] El modelo no se extiende sólo a las ciudades que pertenecen a naciones donde se ha vivido una crisis:

> Barcelona nos ofrece un ejemplo del poder simbólico que las políticas urbanas asignan a la noción fetiche de cultura. A nivel general, la "cultura" se está convirtiendo en una mercancía generada en términos industriales que suscita a su alrededor un negocio cada vez más próspero, pero sobre todo es un valor-refugio seguro para las políticas de promoción urbana, en la medida en que es uno de los elementos que aporta más singularidad funcional en las dinámicas de tematización y espectacularización que las ciudades adoptan frente a su propia desindustrialización. Todas las grandes iniciativas político-inmobiliarias que se han dado en zonas de la ciudad tienen como eje vertebrador, en las últimas décadas, la proliferación de

grandes instalaciones destinadas al Arte y el Saber, confiadas siempre a arquitectos de prestigio internacional. Ahora bien, en las intenciones aparentemente benefactoras de sus promotores políticos es fácil descubrir el objetivo último tan poco artístico-cultural como es el de invertir en prestigio frente a la propia ciudadanía y disimular por la vía ornamental grandes operaciones urbanísticas de reconversión de viejas zonas industriales o de rehabilitación –y, por lo tanto, de revaloración– de centros históricos deteriorados. La creciente museificación de los viejos centros y la incorporación de macroinstalaciones culturales no pueden desvincularse del papel estratégico que cada vez más ejerce el turismo llamado "cultural" en las economías urbanas. Estos procesos consisten paradojalmente en expulsar la historia de la vida de las ciudades historizadas, pues son mostradas como terminadas, atrapadas en un pretérito perfecto en el que son paradigma inmóvil e inamovible, siempre al servicio de una refuncionalización del espacio urbano a partir de criterios de puro mercado.[126]

Barrios culturales. En Buenos Aires, Palermo es un "barrio cultural".[127] Reúne bastantes condiciones y no fue necesaria una *gentrificación* traumática, sino una operación inmobiliaria, con rasgos de cierta espontaneidad, que se desarrolló durante más de dos décadas.

Las viejas casas proporcionan una buena base para un reciclaje cuyo objetivo son las atmósferas originales, que se diferencien de los lugares comunes del mercado; casas chorizo, cuyas paredes interiores han sido derribadas, cuyos techos de ladrillo han sido dejados a la vista, cuyos marcos y vigas han sido conservados, cuyos muros admiten el blanqueado sobre el que resaltará el diseño de objetos o de ropas. La onda es un ambiente *cool*, que sigue los mismos lineamientos que el reciclado de las casas, donde no se borran todos los rasgos de su pasado, sino que se los reacomoda como citas y reminiscencias carentes de fijeza, móviles, como si fueran partes escenográficas que se abren a la calle a través de vidrieras que recuerdan, en algún trazo conservado, que antes fueron ventanas altas y angostas. Las casas recicladas como negocios o como nuevas viviendas han perdido los perfiles más definidos de lo que fueron, pero esas cualidades pretéritas tampoco se habían mantenido intactas, sino que, a lo largo de cincuenta años, habían sido cubiertas por revestimientos ajenos, modificaciones en las aberturas hacia la calle, divisiones y reparaciones.

Palermo recicla sobre anteriores modificaciones y lo nuevo es que recicla con una idea programada de lo que el barrio es actualmente. La idea es, además, exitosa: a todo el mundo le gusta el Palermo que adapta a las capas medias profesionales, a los visitantes de fin de semana y a los turistas la utopía de estar en el medio de todo y, además, en un barrio "amable", "sensible", como lo definieron los vecinos que desde los años ochenta se movieron en el aire del tiempo futuro y no, como creían, en el de la conservación.

La experiencia de calle produce también una sensación de familiaridad, que no debería calificarse como falsa: los bares de Palermo reactualizan la vieja idea del bar donde se conoce a los clientes y donde hay parroquianos notables (escritores, directores de cine, diseñadores, artistas). Palermo permite sentirse parte de un espacio urbano, algo que se volvió imposible para las capas medias en el centro decadente de la ciudad. En Palermo se integra una "movida" urbana exitosa. La palabra "movida" es la que mejor sirve para designar el ímpetu del barrio que está literalmente en su etapa de *big bang*. Palermo se mueve hacia fuera de Palermo, cruza Juan B. Justo, llega a la calle Córdoba, toca Villa Crespo y Dorrego, alcanza Las Cañitas por un lado y Chacarita por el otro: una desmesura sólo unificada por el nombre y sus diferentes aditamentos.

Palermo es el paraíso urbano de las capas medias, y ellas siempre le dieron su tono a Buenos Aires. Los consumos de capas medias le dan a Palermo su estilo de "barrio cultural", que no depende sólo de la presencia, en un extremo, del Malba y, en el otro, del museo Xul Solar, ni de algunos teatros del *off off*, sino de una forma del ocio y de la circulación. Palermo no se parece al SOHO ni al East Village; sin embargo, en esas comparaciones irrelevantes hay algo que podría acercarlos: barrios donde circulan no sólo quienes viven en ellos, sino (como sucedía antes con el viejo centro de la ciudad) los que van a pasear allí. Lograr esto implica un mínimo de condiciones, y la primera de ellas es que haya 'verdaderos' vecinos y no sólo negocios. Es decir, que se mantenga la condición de 'barrio', mientras que el viejo centro de la ciudad no fue pensado como barrio, sino como puro espacio público (administrativo, de diversiones, gastronómico) aunque tuviera efectivamente vecinos radicados y conventillos y pensiones. Y si los vecinos tienen que vivir en torres que contradicen la imagen del barrio, son las nuevas torres las que sin embargo le dan a Palermo sus necesarios vecinos cuando los dueños de las viejas casas consideran, con todo acierto, que les conviene venderlas para que allí funcionen negocios y restaurantes.

Palermo, para ser Palermo, necesita de los Vecinos Sensibles de Palermo (a quienes habría que reconocer la primera patente del invento que luego se perfecciona). Los Sensibles defendían el barrio como 'vecinos' y lo eran realmente. Su triunfo implica, entre otras cosas, que los 'vecinos' hoy sean una minoría indispensable. Un "barrio cultural" necesita también de los 'habituales'.

Entre los 'habituales' se incluyen los dueños 'reconocibles' de los negocios (diseñadores, libreros, chefs), la gama variada de gente de las artes y las letras, y naturalmente los que residen allí. Este elenco no tiene necesariamente que mostrarse todo el tiempo, sino que (como las *celebrities*) los 'otros' deben saber que allí están, porque un "barrio cultural" es un lugar *branché*. A diferencia del público de fin de semana en Plaza Francia y Recoleta, a un "barrio cultural" confluye un público que aspira a parecerse a los 'vecinos' y 'habituales', y probablemente se parezca a ellos en su definición sociológica. En cambio, nadie que llegue en el colectivo 92 a Recoleta puede pensar que se parece a los residentes de la calle Posadas o Schiaffino que, de modo unánime, desaparecen de allí el fin de semana. Aunque muchos 'vecinos' y 'habituales' de Palermo declaren que no pasean por su barrio desde el viernes a la noche, no importa la verdad empírica sino lo verdadero que transmite esa afirmación: la incesante necesidad de diferenciarse. De todos modos, llegan sus réplicas, ya que la mayoría de los visitantes compran, comen y pasean en los mismos lugares que los locales. Los turistas son un círculo más exterior, pero también necesario: la mirada desde afuera reafirma lo que el barrio es para los de adentro.

'Habituales', visitantes y turistas refuerzan la nueva 'identidad' del barrio, incluso en el desarrollo de sus conflictos, como cuando los vecinos quisieron expulsar a los artesanos de la plaza Cortázar, en cuyas esquinas están los bares pioneros y emblemáticos, "Malas Artes" y "El taller". Esos artesanos ya no eran necesarios a la producción del efecto 'cultural' de Palermo, sino que parecían una supervivencia del pasado o un injerto más apropiado a otros lugares menos *cool*, porque los artesanos han dejado de serlo. Hubo conflictos no sólo con las autoridades de la ciudad sino con quienes se identificaron como vecinos del barrio.[128]

La lógica de Palermo es *gentil*: más lenta que en el resto de la ciudad, con un uso del tiempo más distendido (excepto para quienes trabajan en los negocios), una forma actual de la bohemia, que excluye el deterioro y las carencias, y que se define por el éxito y no, como las viejas bohemias del siglo XX, por la resistencia o el fracaso. *Gentil* es *cool*, lo que supone la apertura, la ausencia de contradicciones fuertes y de dureza, la disposición hedonística no menospreciada sino suscripta como estilo de la vida cotidiana. Palermo es, usaré adjetivos bien contemporáneos, *vivible* y *buena onda*.

Se diferencia de otros *clusters* culturales, que no alcanzan a definir un barrio, pero que subsisten allí. Como los puestos de Parque Rivadavia, en el corazón mismo de las capas medias no *cool* de Buenos Aires. Juan Terranova escribe:

> En el Parque Rivadavia todavía se conserva una lógica punk. No hay tantos vinilos como antes ni tantos cajones con libros viejos para revolver y los fanzines ahora están en Internet. Pero la era digital llenó los puestos de piratas que copian música y programas, que venden películas en DVD antes de que lleguen a los cines y canjean juegos para la PlayStation. La autonomía, la libre circulación de información, la ilegalidad, todo ese entramado mantiene al parque vivo.[129]

La 'lógica punk' sería destructiva en Palermo, del mismo modo que el East Side neoyorquino debió expulsar a los *junkies* para que se establecieran los restaurantes étnicos y las casas de diseño. La 'lógica punk' es un exceso que desordena. Y los "barrios culturales" se atienen a un ordenamiento incluso de sus excesos (salvo en términos de mercado inmobiliario, naturalmente). La 'lógica punk' tiene un elemento plebeyo (socialmente, culturalmente), que está de más en Palermo. Cerca de 3.500 locales de negocio no propician un cambio de lógica.[130]

IV. LA CIUDAD CÍBER

Gimnasios. Foucault dijo que la heterotopía "tiene el poder de yuxtaponer, en un solo lugar real, múltiples espacios, múltiples emplazamientos que son en sí mismos incompatibles".[131] Para Foucault, los jardines, y ciertamente los más antiguos, son espacios heterotópicos; en la ciudad actual, los gimnasios hipertecnológicos son la última construcción heterotópica. En ellos, como en los jardines sagrados, se cree que el cuerpo puede alcanzar una ascesis ya no trascendente, sino un salto a un lugar 'otro', el del bienestar en el medio de una ciudad contaminada; el de la abolición de los grandes espacios para que hombres y mujeres puedan concentrarse en espacios íntimos (aunque no exista una intimidad más desconocida que la del cuerpo), en medio de decenas de otros hombres y mujeres que corren tras de esa misma ilusión.

Las iglesias tienen esa cualidad heterotópica para sus fieles, en la medida en que, durante algunos instantes, y sólo para aquellos que pueden creer intensamente, dos mundos se intersecan: lo humano y lo divino devienen, fugazmente, uno. El gimnasio ofrece también una promesa heterotópica, porque allí el espacio es (cito a Foucault) "tan perfecto, tan meticuloso, tan bien ordenado, como el nuestro es desordenado, mal administrado y embrollado". En el gimnasio hipertecnológico, el cuerpo y el deseo del cuerpo devienen, fugazmente, uno, por intermediación de una mística física y discursiva. El gimnasio hipertecnológico modifica radicalmente las condiciones espaciales que rodean al cuerpo y dentro de las que éste se desplaza. Complemento exterior de la interioridad de huesos y músculos, el gimnasio exterioriza una parte del sistema físico de movimiento del cuerpo, desliza los límites entre el cuerpo biológico y la máquina. Como los arneses interiores de un transbordador interplanetario, el espacio del gimnasio es radicalmente una invención que, entre otros rasgos, muestra su extrema discontinuidad respecto de los espacios exteriores a él.

La compacidad que resulta de la tecnología produce circuitos también compactos y cerrados sobre sus propias funciones; esta intensificación del espacio es en sí misma heterotópica: planos de movimiento y planos de tiempo acelerados que se separan por cortes abruptos donde se impone la distensión. Sobre la cinta de correr o sobre las bicicletas fijas, hombres y mujeres simulan (como en un simulador espacial) las condiciones de fatiga real que, antes, sólo podían alcanzarse en espacios reales. Frente a las cintas y las bicicletas, los televisores potencian la superposición de espacios y tiempos. No es casual que, en esta heterotopía, se haya construido una sociabilidad cuyos límites coinciden con los del gimnasio.

Como espacio completamente dominado por una tecnología eficiente, el gimnasio se separa de una ciudad donde lo técnico (el transporte, por ejemplo) tiende a la precariedad. La ciudad queda fuera, abolida momentáneamente; su malestar se ha disuelto, también por un momento, en el bienestar de un orden que producirá como resultado el completo control del propio cuerpo, algo que en la ciudad está siempre amenazado por el descontrol. En esto, los gimnasios hipertecnológicos responden a una lógica mayor que es también la del *shopping*.

¿Disolución del territorio? La ciudad (el topos, el lugar) se desterritorializa en sus representaciones (mapas, pinturas, relatos y teorías) que, de todos modos, creían posible una relación entre la ciudad real y la ciudad representada. Las imágenes de ciudad no buscaban su abolición sino su conocimiento (mapas y cartas), su crítica (teorías, relatos), su mejoramiento (programas reformistas o utopías).

Las imágenes de ciudad se propusieron representaciones de órdenes diversos: alegórico, simbólico, realista, costumbrista, irónico. Pero la ciudad construida estaba por debajo de esas representaciones, incluso de las imaginarias "ciudades perfectas".

Hoy flota sobre el territorio otra 'ciudad', no una *SimCity* de juego, sino la optimistamente denominada "plaza pública telemática", desespacializada, última forma no de representación sino de relevo de lo que la ciudad fue: red, trama, espacio público, semipúblico, privado, del mercado, de las instituciones, de los individuos. No voy a referirme a los temas que fascinan (o más bien fascinaron hace algunos años) a la futurología cultural, como el del teletrabajo cuya bienvenida estuvo a cargo de cientos de artículos académicos y periodísticos, en todo Occidente, que celebraron las nuevas tecnologías liberadoras de las constricciones espaciales y temporales.[132] En las ciudades latinoamericanas, la desurbanización dentro de la ciudad no responde al patrón europeo de una campiña-dormitorio considerado un ideal de vida en un momento de ideologías ecologistas tardorrománticas, sino al problema, más real, de la inseguridad que aconsejaría el uso telemático de la cíber-ciudad por sobre la presencia en la ciudad real.

La cíber-ciudad es una heterotopía. Como los sueños, pone en relación de contigüidad fragmentos espacio-temporales que en organizaciones sintácticas 'normales' exhibirían su incongruencia, porque provienen de lugares radicalmente distintos y desconocidos entre sí; como los sueños, la heterotopía cíber yuxtapone o hace suceder imágenes cuyo contacto parecía, hasta ese momento, difícil o imposible. La cíber-ciudad se sobreimprime sobre la ciudad cableada (para la televisión y una parte del servicio de teléfonos) y sobre la ciudad de *clusters* celulares o de ondas satelitales. Todo ese conjunto forma una ciudad virtual sobre la ciudad real, aunque la virtualidad esté sostenida por la infraestructura material.

La temporalidad lábil distingue a la cíber-ciudad de la ciudad real cuyo tiempo está (todavía) escandido por ritmos periódicos: el día y la noche, la jornada de trabajo, las distancias, el transporte, sus horarios y frecuencias. La temporalidad de la ciudad real no es un flujo ininterrumpido, sino, por el contrario, una serie de barreras y obstáculos a pesar de los cuales el tiempo transcurre. Es una temporalidad caracterizada por la detención más que por el fluir, por la espera más que por la sensación de inmediatez, por la separación de los espacios que impone lapsos generalmente ingobernables. En la cíber-ciudad la temporalidad es, por lo menos teóricamente, veloz. Se sabe, por supuesto, que las conexiones digitales y materiales sufren interrupciones pero, en términos teóricos, se solicita, se promete, se exige lo inmediato y se siente frustración cuando no se lo consigue. La cíber-ciudad es inmediata porque ha podido prescindir de gran parte de la materialidad que había definido a la ciudad desde sus orígenes. Al desterritorializarse, la cíber-ciudad promete una libertad y una velocidad de desplazamiento que son justamente opuestas a las que se consigue en la ciudad localizada, donde todo, lo pensado y lo no pensado, lo planificado y lo implanificable, amenaza con transformarse en una barrera.

Desmaterializada, la cíber-ciudad se ofrece como escena de la realización del deseo, como en la canción de los Sex Pistols, de un deseo que desconoce su objeto pero que quiere obtenerlo inmediatamente (caer en el lugar que no se sabe que se desea, en los millones de páginas de una cíber-ciudad, caer abruptamente, antes de tener tiempo de desearlo o de saber que existe). El deseo se independiza de sus bases materiales, y es deseo puro de encontrar su desconocido objeto. Se sabe por supuesto que esta cíber-ciudad es la de quienes pueden acceder a ella de la manera más veloz.[133] Pero, como en el caso de la mercancía en el *shopping*, el hecho de que muchos no puedan todavía acceder a ella no implica que la alegoría de la cíber-ciudad no funcione para todo el mundo, excepto para quienes viven muy abajo y muy precariamente en la ciudad real. Las imágenes se generalizan antes que los hechos y operan como fuerzas materiales que presionan sobre la imaginación urbana.

La liberación de los límites espacio-temporales (una cualidad heterotópica) es contraria a la idea de ciudad localizada, donde los límites no son simplemente obstáculos sino organizadores de lugares y actividades; incluso la transgresión como práctica de uso urbano es posible porque esos límites definen zonas de la ciudad. En la perspectiva clásica, por otra parte, el límite entre lo privado y lo público no es simplemente una producción ideológica sino que necesita de una materialidad que lo sostenga. La fusión de privado y público en el ciberespacio es una novedad que, entre otras razones, se sostiene en el borramiento de confines.

La discusión de los límites materiales en el interior de la ciudad fue el objeto de luchas de apropiación: desde apropiación de terrenos por especuladores inmobiliarios hasta toma de casas por quienes eran desalojados de otros lugares; desde la legitimidad de establecer un obstáculo frente a la circulación del transporte, cortar una calle por ejemplo, hasta los reclamos para que ese corte 'fuera de la ley' sea desalojado; los viejos edictos policiales y las actuales contravenciones tienen como núcleo los usos de espacios públicos previamente delimitados (dónde se puede vender, dónde se puede ejercer la prostitución, etc.). La cíber-ciudad tiene casi como único límite la potencia tecnológica de los instrumentos en posesión del cíber-navegante. Todo despierta entusiasmo: incluso que haya adolescentes que corren por la cíber-ciudad pero jamás han tomado un subterráneo, dignos miembros de una primorosa cultura tecnológica neoprovinciana: de la aldea suburbana a la aldea global.

La ciudad cíber deslocaliza y relocaliza. Su trama comunicativa, al sobreimprimirse a una trama territorial, aunque no restringida al lugar de residencia, libera de las constricciones que todavía operan en los espacios 'reales'. No es necesario moverse en *ciber city*; aunque todavía no sea posible teletransportarse, la imagen y el sonido son transferidos y con eso se debilitan los obstáculos de la movilidad real.

Por otra parte *ciber city* parece protegida por la suspensión de las reglas que funcionan en la ciudad real. Se baja música y videos 'gratis', por ejemplo, y eso hace pensar en la suspensión de la ley más fuerte de la ciudad real, que es la de la propiedad privada en el mercado. Si es posible suspenderla provisoriamente, surge la ambición de que la propiedad, cualquier propiedad, no esté del mismo modo protegida en *ciber city*. Aunque no sea verdaderamente significativo, el hecho de que se anuncien asesinatos o que algunos adolescentes se saquen fotos exhibiendo el producto de robos y en tren de consumirlos para colgarlos en un *fotolog*[134] no sólo demuestra la admirable omnipotencia atribuida a su edad, junto con un no menos sorprendente desconocimiento de los riesgos de ser descubiertos. También prueba la fuerza de la ilusión heterotópica de la cíber-ciudad, donde sería posible, al mismo tiempo, robar en la ciudad real, publicarlo para la *Gemeinschaft* virtual y comerse verdaderamente los alfajores así obtenidos.

La comunicación viral que caracteriza estos espacios hace que repeticiones más o menos banales se sucedan: vecinos afirman que una banda incendiaría autos para obtener fotografías que despierten el interés ahíto de los *fotologs*; pero mucho antes, decenas de adolescentes mujeres toman sus propias fotografías en habitaciones decoradas con afiches ingenuos y ositos de peluche, imitando las poses de la pornografía *light* y/o lésbica, para subirlas a sus *fotologs*, donde la ley moral queda provisoriamente en suspenso, sobre todo si se juega con la idea de que esas fotos, de haber sido tomadas por un adulto ajeno a la situación, podrían ser consideradas pornografía ejercida sobre menores. La ilusión es la de un espacio a mano pero inalcanzable, donde la ley de los espacios reales quedaría en suspenso. Frente a una ciudad real cuya dureza es perceptible, la cíber-ciudad es un escenario de simulaciones reales, si es que se admite la paradoja.

La 'lógica de la celebridad' que gobierna, como se vio, la exhibición de la mercancía en el *shopping*, se impone en la cíber-ciudad. Pero esta celebridad autogestionada es esquiva: miles y miles de páginas en los *fotologs* y las redes sociales, donde es tan fácil ingresar como pasar desapercibido, pese a la candorosa insistencia de los correos electrónicos que reparten el *spam* de "Fulanito quiere ser tu amigo, etc.". La promesa es muy alta y es muy difícil verla realizada; como sea, se pierde poco, excepto las expectativas, porque lo invertido para que se cumpla es módico, irrelevante y consume un tiempo corto. A veces, la fortuna acompaña a un *flogger*, que obtiene su quincena célebre porque los medios se aburren y temen aburrir a su público si no amplían su fauna.

Pero lo más habitual es que esa promesa de 'celebridad' no se mida según las dimensiones de la celebridad mediática; se parece más a un reconocimiento dentro de un grupo pequeño, un barrio virtual, tan pequeño como los escasos centenares que se juntan en algunos *shoppings*, como el Abasto, donde bandas adolescentes de *floggers* se toman fotografías para enviarlas inmediatamente a los amigos que están en la otra punta del *hall*, y viceversa. Si allí estalla la violencia es porque la cíber-ciudad, pese a todo, no flota simplemente sobre la ciudad real, sino que la interseca; la lógica de pura coexistencia de la web (en la que el *hacker* sería un aventurero simmeliano con alta personalidad) se quiebra frente al cara a cara en el espacio público, donde la competencia pasa a la acción física no como prolongación del efecto cíber, sino como manifestación del peso de las condiciones reales.[135] Esta intersección corta la ilusión de libertad heterotópica, como si de pronto, mientras se proyecta un filme, se cortara la energía eléctrica: caída en lo real y emergencia de un tipo de 'aventura' más clásico: se rompe la continuidad de un espacio y se entra en otro gobernado por regulaciones diferentes. Allí, en la ruptura de la autonomía de la cíber-ciudad, puede emerger realmente la aventura.

La forma de la aventura, escribe Georg Simmel, "consiste en que rebasa y rompe la conexión de la vida". La aventura es "un islote vital, soberano, que dibuja su propio perfil"; está "fuera de la serie".[136] Podría pensarse, con optimismo ingenuo, que ese islote es la cíber-ciudad, único lugar donde la aventura es posible cuando los espacios reales han terminado de normalizarse según los requerimientos del mercado y se sienten las amenazas de la inseguridad. Sin embargo, es al revés: no hay islote discontinuo en la cíber-ciudad, porque en ella todo es discontinuidad, el salto de un lugar a otro es la norma. Y lo que es norma no puede ser aventura. Esto es bien evidente. En los espacios reales está la posibilidad de rasgar la norma, incluso en esos momentos poco estimulantes en que los *floggers* en busca de originalidad se pelean con alguna otra nación de la cultura adolescente.

La cíber-ciudad, con su dotación de terminales en las viviendas y en los lugares públicos, con sus teléfonos y su cableado, da la impresión de ofrecer un espacio 'soberano' y 'fuera de serie' frente a los espacios regulados por la propiedad y por las imposiciones de la serie constructiva y del tránsito. Sin embargo, esa promesa de salirse de la serie tiene como contrapartida una aventura demasiado sencilla. El aventurero al que se refiere Simmel es un arriesgado y no solamente un simulador. Como la ciudad moderna, la cíber-ciudad es un espacio apto para la simulación de identidades: allí donde no me conocen puedo ser lo que no soy. El nombre falso con que se entra al *chat* consuma esta fantasía de cambio de personalidad, ejecutada con la libertad restringida por la tentación de conocer, en algún momento, el nombre y el cuerpo verdaderos. Sin embargo, la proliferación de 'personalidades' mutantes es el premio de un espacio a la vez visible e invisible, donde parece posible mostrarse sin mostrarse del todo, o mostrarse más de lo que se mostraría en el espacio 'real'.

La simulación es la forma elemental de la invención de un relato, un momento de imaginación ejercido con los materiales que se tienen a mano, restos y desechos, valores y prejuicios del mundo de las mercancías que se aloja en la ciudad real. Ella, todavía, fija los ritmos de las ciudades imaginadas y define los estilos incluso de aquellos que imaginan una independencia original. En ella, todavía, están arraigados los ricos y los pobres.

Notas

INTRODUCCIÓN

1 Christine Buci-Glucksmann, *L'œil cartographique de l'art*, París, Débats-Galilée, 1996.

1. LA CIUDAD DE LAS MERCANCÍAS

2 "A Conversation between Rem Koolhaas and Sarah Whiting", *Assemblage*, núm. 40, diciembre 1999, p. 42. Las traducciones de todas las citas me pertenecen.

3 David Harvey, *París, Capital of Modernity*, Nueva York y Londres, Routledge, 2006, pp. 209-224.[Ed. cast.: *París, capital de la modernidad*, Madrid, Akal, 2008.]

4 Roberto Arlt, "Pasaje Güemes" (7 de septiembre de 1928), en *Aguafuertes porteñas. Buenos Aires, vida cotidiana*, introducción y selección de Sylvia Saítta, Buenos Aires, Alianza, 1993, pp. 6-7.

5 Sobre la biografía "intelectual" de Jerde, escribe Ann Bergren: "Regresó [de Italia] a Los Ángeles con la firme convicción de que el único lugar que la ciudad todavía tiene para crear comunidad es el *shopping mall*. De este modo, a través de diversas vicisitudes personales y profesionales, durante años se empeñó en que los emprendedores comprendieran su visión y que ésta superara los obstáculos de los banqueros y los políticos. Su lucha culminó en una coincidencia aparentemente cósmica: el gran salto del proyecto Horton Plaza en San Diego, que lo puso en el mapa nacional, al mismo tiempo en que Jerde atravesaba una especie de epifanía mística en cuyo transcurso definió las líneas que guiaron su práctica desde entonces. Ésta es una versión en borrador del mito de Jerde sobre su misión arquitectónica. Sin embargo, esta búsqueda de comunidad no es, para mí, el final sino el comienzo de su historia. Ya que la comunidad es un efecto, no una causa. Es el resultado, la manifestación, de gente que comparte el mismo espacio, sea real o virtual. El término, como el fenómeno, no informa sobre los motivos por los cuales la gente se reúne. La comunidad en sí misma no explica por qué los proyectos de Jerde –sus *shopping centers* y sus *theme parks*– tienen tanto éxito para juntar gente, al punto de que mil millones de personas los visitan cada año. La respuesta simple sería: se trata del placer. Los proyectos de Jerde pueden reunir tanta gente porque ofrecen placer" (Ann

Bergren, "Jon Jerde and the Architecture of Pleasure", *Assemblage*, núm. 37, diciembre de 1998, p. 10).

6 Louis Marin, "Dégénérescence utopique: Disneyland", en *Utopique: jeu d'espaces*, París, Minuit, 1973.

7 "Al reacondicionar la ciudad en una forma limpia, segura y controlada, el *mall* cobró importancia como centro social y comunitario." La cita se refiere a la función de los *malls* en los *suburbia* norteamericanos, pero los mismos adjetivos y la misma función puede atribuírseles a los *shoppings* en ciudades donde las capas medias consideran que el espacio de las calles es peligroso y está sucio y deteriorado. En América del Norte existían hace diez años casi treinta mil *malls*, algunos de ellos verdaderamente extravagantes, como el de Edmonton (Alberta, Canadá), cuya superficie es mayor que cien canchas de fútbol, el doble de Del Arno Mall en Los Ángeles. Dentro del *mall* de Edmonton hay una réplica, escala natural, de una de las carabelas de Colón. En Scottsdale, Arizona, el *mall* al aire libre lleva el nombre de "Borgata" e imita San Gimignano, con sus plazas y torres construidas en ladrillo italiano. "El nexo entre escenarios inesperados y mercancías cotidianas fortalece la experiencia del *shopping*" (Margaret Crawford, "The World in a *Shopping Mall*", *The City Cultures Reader*, Londres, Routledge, pp. 125-140).

8 Walter Benjamin, "Experiencia y pobreza", *Discursos interrumpidos*, I, Madrid, Taurus, 1973, pp. 172-173.

9 Ann Bergren, art. cit., p. 14.

10 Richard Sennett señala que esta estandarización formal y funcional se diferencia de las formas más "erráticas" del consumo en la ciudad moderna de principios del siglo XX descripta por Simmel. El consumo se uniformiza y, en consecuencia, "la memoria colectiva disminuye en los espacios públicos neutros". Es difícil, agrega Sennett, establecer lazos personales con una tienda Gap o Banana Republic en especial: "la estandarización engendra indiferencia" (Richard Sennett, *The Art of Making Cities*, Londres, Cities Programme-London School of Economics, 2000, p. 12 y ss.).

11 Juan José Saer, *La grande*, Buenos Aires, Planeta, 2005, p. 130.

12 *La Nación*, 11 de octubre de 2007.

13 El relato llegó, como otros igualmente precisos, a la casilla de correo de un diario. Le consulté a V. L. si podía publicarlo y estuvo de acuerdo.

14 Heinrich von Kleist, *Über das Marionettentheater*, Kleist-Archiv Sembder, Internet-Editionen. [Ed. cast.: *Sobre el teatro de marionetas y otros ensayos de arte y filosofía*, Madrid, Hiperión, 2005.]

15 Daniel Samoilovich, *El carrito de Eneas*, Buenos Aires, Bajo la Luna, 2003, pp. 29-31.

16 Roland Barthes, *Mythologies*, París, Seuil, p. 144. [Ed. cast.: *Mitologías*, Buenos Aires, Siglo XXI, 2008.]

17 Juan Terranova, "Diario de un joven escritor argentino", en *La joven guardia* (selección y prólogo de Maximiliano Tomas), Buenos Aires, Norma, 2005, p. 142.

2. LA CIUDAD DE LOS POBRES

18 Jorge F. Liernur, "La ciudad efímera", en J. F. Liernur y Graciela Silvestri, *El umbral de la metrópolis. Transformaciones técnicas y cultura en*

la modernización de Buenos Aires (1870-1930), Buenos Aires, Sudamericana, 1993, p. 194.

19 Las descripciones que siguen (pp. 61-68) provienen de un trabajo de observación, realizado durante más de cuatro años para algunas de las notas publicadas semanalmente en *Viva*, revista dominical del diario *Clarín*, que aquí retomo y reescribo.

20 Foto de Gustavo Seiguer publicada en "El parque Tres de Febrero sucumbe a las usurpaciones y el descuido", *La Nación*, 2 de agosto de 2008.

21 Mensaje personal de Violeta Collado.

22 Sergio Chejfec, *El aire*, Buenos Aires, Alfaguara, 1992, p. 60-61.

23 Ezequiel Martínez Estrada, *Radiografía de la pampa*, ed. Leo Pollmann, Colección Archivos, 1991, p. 150.

24 Sobre las sustancias urbanas, véase: Alain Gunst, "Un art de ville?", *Art et philosophie, ville et architecture*, París, La Découverte, 2003, pp. 129-137.

25 Ricardo Romero, "Habitación 22", *Buenos Aires/Escala 1:1. Los barrios por sus escritores*, compilado por Juan Terranova, Buenos Aires, Entropía, 2007, pp. 219-221.

26 Trad. de Esteban Nicotra de "Correvo nel crepuscolo fangoso", poesía inédita hasta la muerte de Pasolini, y hoy incorporada a *Bestemmia-Tutte le poesie*, Milán, Garzanti, 1993.

27 Fabián Casas, *El salmón*, Buenos Aires, Libros de Tierra Firme, 1996, p. 30.

28 Sobre el Riachuelo y las sucesivas etapas de su industrialización, véase: Graciela Silvestri, *El color del río. Historia cultural del paisaje del Riachuelo*, Buenos Aires, Universidad Nacional de Quilmes-Prometeo, col. "Las ciudades y las ideas", 2003, especialmente la segunda parte: "Redes y objetos del paisaje industrial".

29 Daniel García Helder, "(Tomas para un documental)", *Punto de Vista*, núm. 57, abril de 1997, p. 3.

30 Adrián Gorelik, *La grilla y el parque. Espacio público y cultura urbana en Buenos Aires, 1887-1936*, Buenos Aires, Universidad Nacional de Quilmes, 1998, p. 297.

31 Osvaldo Aguirre, "Algo bien grande", *Rocanrol*, Rosario, Beatriz Viterbo, 2006, pp. 8-9 y 20-21.

32 "Matan a un niño en un robo a un cibercafé", *La Nación*, 23 de septiembre de 2007.

33 Citado por Loïc Wacquant, *Los condenados de la ciudad. Gueto, periferias y Estado*, Buenos Aires, Siglo XXI, 2007, p. 203.

34 El artículo fue publicado en *Pour une anthropologie de l'espace*, París, Seuil, 2006. La cita siguiente es de p. 121.

35 Véase un libro excelente: Cristian Alarcón, *Cuando muera quiero que me toquen cumbia*, Buenos Aires, Norma, 2003. Y los relatos de Juan Diego Incardona: *Villa Celina*, Buenos Aires, Norma, 2008.

36 Retomo ideas de un trabajo mucho más extenso, que no ha circulado en Argentina: B. S., "Violencia en las ciudades. Una reflexión sobre el caso argentino", en Mabel Moraña (ed.), *Espacio urbano, comunicación y violencia en América Latina*, Pittsburgh, Instituto Internacional de Literatura Iberoamericana, 2002.

37 Michel Maffesoli, *Les temps des tribus. Le déclin de l'individualisme dans les sociétés de masse*, París, Méridiens Klincksieck-Folio, 1988, pp. 112 y

ss. [Ed. cast.: *El tiempo de las tribus. El ocaso del individualismo en las sociedades posmodernas*, México, Siglo XXI, 2004.]

38 Néstor García Canclini, *Consumidores y ciudadanos; Conflictos multiculturales de la globalización*, México, Grijalbo, 1996.

39 Título: "Los flamantes jinetes de la cocaína; a partir de los 20 asesinatos en torno a la villa 1-11-14, el Estado investiga a los nuevos narcos" (*El Argentino*, 25 de agosto de 2008). Se multiplican las notas periodísticas sobre el tema a partir de algunos crímenes atribuidos a las grandes mafias de la droga, que sucedieron en 2008.

40 Lila Caimari, "La ciudad y el miedo", *Punto de Vista*, núm. 89, diciembre de 2007, p. 10.

41 Jesús Martín Barbero, *Pre-Textos. Conversaciones sobre la comunicación y sus contextos*, Cali, Editorial Universidad del Valle, 1996, p. 80.

3. EXTRAÑOS EN LA CIUDAD

42 Roberto Arlt, "Sirio libaneses en el centro", *Aguafuertes porteñas*, ob. cit., pp. 88-91.

43 Hilda Sabato, *La política en las calles. Entre el voto y la movilización, Buenos Aires 1862-1880*, Buenos Aires, Sudamericana, 1998.

44 En torno a estos temas ideológicos se ha expandido la obra de Oscar Terán, desde *En busca de la ideología argentina*, de 1986, hasta su libro póstumo, *Historia de las ideas en la Argentina. Diez lecciones iniciales, 1810-1980*, Buenos Aires, Siglo XXI, 2008. Una perspectiva que retoma y discute la problemática, en el campo literario, se encuentra en Fernando Degiovanni, *Los textos de la patria. Nacionalismo, políticas culturales y canon en Argentina*, Rosario, Beatriz Viterbo, 2007. En lo que concierne a la ciudad, vista por Rojas y Lugones, véase: Adrián Gorelik, "La pedagogía de las estatuas", *La grilla y el parque*, ob. cit., p. 206 y ss.

45 Ricardo Rojas, *La restauración nacionalista*, Buenos Aires, Librería La Facultad, 1922 (1ª ed., 1909); las citas son de pp. 323, 318-19, 215 y 181 respectivamente.

46 Este ejercicio se apoya, sin embargo, en algunos datos cuantitativos. "En cuanto a la participación de los inmigrantes limítrofes en la población argentina, ésta casi no ha registrado variaciones a lo largo del siglo XX. La relación poblacional entre nativos y migrantes limítrofes se mantiene (hasta datos del censo de 1991) en los términos históricos de un 2,6% [...] Sin embargo, sí se registran cambios significativos en la composición de las corrientes internacionales que llegan a la Argentina. En el primer censo nacional de población de 1869, los inmigrantes limítrofes representaban un 20% del total de extranjeros. Luego se observa un descenso paulatino hasta 1914 (8% aproximadamente) y, a partir de entonces, un ascenso sostenido hasta el censo de 1991 (50,2%). Como puede verse, la presencia de los limítrofes en el conjunto de los extranjeros ha tendido a elevarse llegando hacia 1991 a ser más de la mitad de aquellos" (Sergio Caggiano, *Lo que no entra en el crisol. Inmigración boliviana, comunicación intercultural y procesos identitarios*, Buenos Aires, Prometeo, 2005, p. 50). En cuanto a los bolivianos específicamente: "la presencia sistemática data de la década del

sesenta. Sus inserciones de trabajo son fundamentalmente de baja calificación. En la ciudad, los hombres en la construcción y en el comercio, y las mujeres centralmente en el comercio" (ibíd., p. 55).

47 Martín Gambarotta, *Seudo*, Bahía Blanca, Vox, 2000, p. 49.

48 Leonardo Oyola, "Animetal", *Buenos Aires/Escala 1:1*, ob. cit., 2007, p. 31.

49 Washington Cucurto, *La máquina de hacer paraguayitos*, Buenos Aires, Mansalva, 2005, 2ª ed., pp. 52-53.

50 Daniel García Helder, "(Tomas para un documental)", ob. cit., p. 1.

51 "Su lugar de residencia es la 'villa 21' o 'villa Bonorino', el 'barrio Illia' y el 'barrio Rivadavia' –éste último, lindante con el *barrio coreano*, aparece en otras versiones como 'villa Barrio Rivadavia'–" (Corina Curtis, Lisandro de la Fuente y Ma. Irupé Domínguez, "Espacio, discurso y etnicidad: el caso del barrio coreano", ponencia presentada en el Sexto Encuentro de Geógrafos de América Latina, Buenos Aires, marzo de 1997.)

52 "A partir del año 1965 puede hablarse de una inmigración coreana en Argentina. El número de población proveniente de Corea del Sur en Argentina alcanzó su punto máximo en el año 90, cuando llegaron a residir aproximadamente unas 42.000 personas de este origen. La mitad de esta población llegó entre los años 1984 y 1989, instalándose principalmente en la Provincia y en la Ciudad de Buenos Aires. En el año 2000/2001 la cifra ascendía a 25.000 personas, mientras que en la actualidad no superaría las 15.000 personas". Véase: Carolina Mera, "La inmigración coreana en Buenos Aires. Historia y actualidad", XI Congreso Internacional de ALADAA [Asociación Latinoamericana de Estudios Africanos y Asiáticos].

53 "Podríamos afirmar que los centros de culto son el escenario de la sociabilidad comunitaria por excelencia. Las iglesias evangélicas y la iglesia católica coreana son las instituciones más importantes, social y culturalmente. Son iglesias que tienen ramas en Corea o en EEUU, donde se tiende a enfatizar el nacionalismo y a reforzar las virtudes de los valores tradicionales coreanos. En general el culto es en coreano y los ministros, pastores y sacerdotes son entrenados en Corea o en los Estados Unidos. La afiliación a las iglesias no sólo responde a necesidades espirituales, sino que tiene un número importante de funciones seculares. Son el punto focal de la interacción de la mayoría de los inmigrantes y el centro de la vida comunitaria. A través de los encuentros en la iglesia, se hacen amigos, se cambia información sobre trabajos, negocios, servicios y beneficios sociales, escuelas para chicos, etc." (Carolina Mera, ob. cit.).

54 Paolo Cottino, *La ciudad imprevista*, Barcelona, Ediciones Bellaterra, 2005, pp. 44-45.

55 David Howes, "L'architecture des sens", en Mirko Zardini (ed.), *Sensations urbaines. Une approche différente à l'urbanisme*, Montreal, Centre Canadien d'Architecture-Lars Müller Publishers, 2005, p. 326.

56 Sobre esta bisagra y las relaciones de trabajo entre coreanos y migrantes, véase Alejandro Grimson, "La esquina de la (des)ocupación", *Relatos de la diferencia y la igualdad. Los bolivianos en Buenos Aires*, Buenos Aires, EUDEBA, 1999, p. 51 y ss.

57 Sobre el área, las actividades y los barrios que se sirven del parque, véase Alicia Carmona, Natalia Gavazzo y Consuelo Tapia Morales: "Fútbol,

coca y chicharrón: un paseo hacia 'lo boliviano'; usos del espacio y diversidad cultural en el Parque Avellaneda", *Voces recobradas. Revista de historia oral*, Instituto Histórico de la Ciudad de Buenos Aires, núm. 19.

58 "La bolivianidad migrante, entonces, lejos de constituir una reproducción de prácticas ancestrales y de llevar una cultura esencial a los lugares de destino, es el modo de construcción de una nueva colectividad. Los nuevos usos de las 'tradiciones nacionales', en acontecimientos especiales y en la vida cotidiana, instituyen un nuevo sentido étnico de la bolivianidad construyendo propuestas *desde abajo* para la interacción e integración" (Alejandro Grimson, "Relatos de la diferencia y la igualdad. Los bolivianos en Buenos Aires", *Nueva Sociedad*, Comunicación, culturas e identidades en el fin de siglo, núm. 147, enero-febrero, 1997; también en www.cholonautas.edu.pe /Biblioteca Virtual de Ciencias Sociales). En un reportaje realizado por Mariana Carvajal para *Página 12*, afirma Alejandro Grimson: "Las zonas donde viven más bolivianos son las villas miseria y los barrios populares. En el trabajo de campo que hice me impactó el grado de discriminación impresionante que hay en la vida cotidiana en los barrios populares hacia los bolivianos. Si vas a cualquier villa de Capital o Gran Buenos Aires, te dicen: 'Los bolivianos son muy cerrados, bajan las persianas, se quedan en sus casas, sólo van a trabajar y vuelven pero no quieren relacionarse'. Pero lo que ves es que los peores estigmas en esos barrios están dirigidos a los bolivianos. Los vecinos que son más asaltados por los jóvenes de los barrios son los bolivianos: porque tienen plata, no se defienden de la misma manera, no se enfrentan a la situación colectivamente. Los jóvenes hijos de bolivianos (que son argentinos y que terminan siendo considerados socialmente bolivianos, y que muchas veces ellos mismos se consideran a sí mismos bolivianos, aunque son legalmente argentinos), cuando tratan de romper la barrera de la endogamia, la gran mayoría de las veces no lo consiguen. Hay casos de hijos de bolivianos, socialmente considerados bolivianos, que van a la universidad, que se socializan, que se hacen amigos de muchísimos argentinos y argentinas, pero no se casan con argentinos. Son situaciones muy fuertes porque estamos hablando de un espacio universitario, donde supuestamente hay menos discriminación, menos prejuicio" (Elizabeth Jelin, Sergio Caggiano y Alejandro Grimson, "La mentira de la invasión silenciosa", en Choloblog, 18 de septiembre de 2006).

59 *Clarín*, 24 de julio de 2008.

60 *Clarín*, 5 de abril de 2006. "–¿El trabajo de bolivianos en talleres de costura es un fenómeno reciente? Elizabeth Jelin: –En los últimos treinta años se han ido dedicando a la costura. Lo que sucede es que ahora es más visible por la reactivación económica y el hecho de que en el sector textil no haya tanta importación. Es un negocio basado en la explotación de los trabajadores en talleres no registrados, cuya mercadería termina en las grandes marcas. Muchos de los talleres son de propiedad coreana. Esa simbiosis extraña entre coreanos y bolivianos que se ve en la zona del Bajo Flores viene de Bolivia" (véase Elizabeth Jelin, Sergio Caggiano y Alejandro Grimson, art. cit.).

61 "Un barrio porteño habitado en un 80% por bolivianos e hijos de bolivianos es el más conocido y se ha transformado, con el correr de los años, en un punto de referencia territorial de la colectividad boliviana en la Capital Federal y el Gran Buenos Aires [...] Los primeros asentamiento de inmigrantes bolivianos en esta zona datan de fines de la década del 50 y principios del 60. El barrio sobrevivió a la erradicación de villas [...] a fines de los años 70 a partir de una resistencia organizada. Transformado a través del tiempo de 'villa' en 'barrio obrero', pasando de construcciones de madera y chapa a casas de material, los habitantes de Charrúa ya han firmado boleto de compra sobre las tierras en las que viven y pagan mensualmente una cuota a la Municipalidad" (Alejandro Grimson, *Relatos...*, ob. cit., p. 42).

62 "De manera silenciosa, perseverante, una nueva etapa comenzó en Charrúa. Los primeros pobladores del barrio, primero padres con hijos nacidos aquí y otros en Bolivia, hoy pasaron a ser abuelos." Así titula el periodista Jorge Vargas, de *Renacer. La voz de nuestra América morena en Argentina*, un reportaje a José Flores, uno de los nuevos dirigentes de la Sociedad de Fomento, realizado en junio de 2006. Dice Flores: "Bueno, son varias nuestras actividades y varios los problemas que fueron creciendo y que esperamos hacer lo posible para resolverlos. Primero, hace mas de tres años había un sector del barrio en la cuadra de adelante, que estaba abandonado, casi era un basural y algunos jóvenes lo utilizaban como refugio para beber y a veces drogarse. La verdad, fue una iniciativa de ellos mismos. Un día decidieron limpiar el terreno, respetar el lugar y comenzar a juntar algunos fondos para hacer una canchita y una placita [...] Logramos algunos recursos que llegaron del alquiler que se hacía por ese lugar en la fiesta de la virgen, el puesto de doña Aleja. Pero no queríamos que siguiera porque a las noches generaba mucha borrachera, peleas, líos, basura. Así que ya no se alquila y desde hace dos años ese lugar comenzó a cambiar. Además, hicimos ventas de choripán, rifas y logramos un acuerdo con un sector de la Secretaría de Cultura del Gobierno de la Ciudad para pintar unos murales que forman parte de un proyecto de muralismo que tenemos para el barrio, que ya dio sus primeros frutos [...] La otra actividad que nos desvela es la que tiene que ver con la vivienda. Es el caso de nosotros, los que crecimos en el barrio, como los que llegaron en estos últimos años alquilando. La mayoría tenemos familia numerosa, muchos hijos, y quien conoce el barrio verá que los ambientes son muy chicos. Entonces nos enteramos del PAV (Programa de Autogestión de la Vivienda) del gobierno porteño. Organizamos hasta 10 cooperativas de vivienda, pero hay mucha burocracia y de esto que empezó hace dos años dos cooperativas ya compraron terrenos, La Colmena y La Nueva Familia, y una tercera, Charrúa, con la que andamos en eso, pero cuesta hacer cosas con la burocracia". El periodista interroga a Flores sobre los cursos en la Sociedad de Fomento: "El año pasado hablamos con el Padre Alfredo y en la parte de la capilla dimos algunos talleres para niños, pues el Padre apoyaba nuestro proyecto de muralismo. Hubo talleres de cerámica,

apoyo escolar, títeres, máscaras y otro de tapiz. Este año los hacemos en la Casa Social Sanlorencista, donde también tenemos reuniones de las cooperativas, trasladamos el apoyo escolar en un trabajo conjunto con docentes de la Facultad de Filosofía y Letras, también educación para adultos. Además ensaya un grupo de caporales en formación. Y ya tenemos un horno eléctrico para empezar a producir trabajos en cerámica" (www.renacerbol.com.ar).

63 "Los cholos que en Buenos Aires bailan caporal cuando vienen a Bolivia quieren bailar caporal pero se llevan una gran desilusión. Allá [en Buenos Aires] no importa que sean petisos, con pelo negro y grueso. Pero acá [en Bolivia] se sienten inferiores cuando ven chicos altos y blancos. Y la sociedad acá [en Bolivia] los rechaza, no importa que sean argentinos, porteños". Citado por Alejandro Grimson en *Relatos...*, ob. cit., p. 82.

64 *Charrúa '99*, folleto dedicado enteramente a la fiesta de la Virgen de Copacabana.

65 Jorge Vargas, "El tinku de la participación", *Renacer*, núm. 164, primera quincena de octubre de 2008.

66 Véase el preciso, respetuoso e inteligente filme documental de Martín Rejtman, *Copacabana* (2007).

67 Tamara Montenegro, "Una colectividad que crece a sombras de la discriminación. Liniers es el lugar de encuentro de los Bolivianos que residen en Buenos Aires", en www.comunidadboliviana.com.

4. VERSIONES DE CIUDAD

68 Borges escribió la historia de ese concepto-figura en "La esfera de Pascal" (*Otras inquisiciones*, 1952).

69 Los relatos que se citan fueron publicados en *Ficciones* (1944) y *El Aleph* (1949).

70 Ivan Almeida sostiene: "Un laberinto es un lugar determinado y circunscrito (y por lo tanto, finito), cuyo recorrido interno es potencialmente infinito. El 'sujeto' del laberinto borgesiano no está afuera, preguntándose por el sendero que lleva a su centro, sino adentro, desde siempre, resignado a no poder salir: el laberinto es 'la casa' de Asterión". ("Borges, o los laberintos de la inmanencia", en www.borges.pitt.edu/bsol/pdf/laberinto.pdf). Franco Rella escribe: "En relación con la ciudad, la metáfora ha alcanzado su punto de giro. ¿Qué figura contiene las imágenes fragmentarias que hemos rastreado poco a poco: el bosque inextricable, el movimiento ondulante y sin fin, el arabesco indescriptible de las trayectorias existenciales, y la sombra que encamina estas imágenes hacia otro signo, el de un descubrimiento? Arriesguemos una hipótesis. Esa figura es la del laberinto" (Franco Rella, "Eros and Polemos. The Poetics of the Labyrinth", *Assemblage*, núm. 3, junio de 1987, p. 34).

71 Hubert Damisch también se ocupa en este sentido del cuento de Borges (*Skyline. La ville Narcisse*, París, Seuil, 1996, pp. 71 y ss.).

72 Roland Barthes, *Sistema de la moda*, Barcelona, Gili, 1978 [1967].

73 Véase la original tesis de Alberto Sato: "Demolición y clausura", *Punto de Vista*, núm. 81, abril de 2005.

74 Jorge Luis Borges, "La fundación mitológica de Buenos Aires", *Cuaderno San Martín* (1929), en *Poemas; 1922-1943*, Buenos Aires, Losada, 1943, p. 121.
75 Gilles Deleuze, "Lo que dicen los niños", *Crítica y clínica*, Barcelona, Anagrama, 1996, p. 94.
76 Desarrollé este argumento en *Borges, un escritor en las orillas*, Buenos Aires, Seix Barral, 1995.
77 Jorge Luis Borges, "Villa Urquiza", *Fervor de Buenos Aires* [1923], en *Poemas*, ob. cit., p. 27.
78 Camillo Sitte, *L'art de bâtir les villes. L'urbanisme selon ses fondements artistiques*, París, Seuil, 1996, p. 136. Como se sabe, el tratado de Sitte fue publicado en 1889 y, en opinión de Françoise Choay, sigue siendo un clásico indispensable en el conocimiento de la historia de las ideas urbanísticas.
79 Adrián Gorelik definió a la grilla de calles que se cruzan perpendicularmente como la matriz espacial de Buenos Aires, que impulsó a la ciudad en direcciones que podrían considerarse contradictorias. Sobre la grilla afirma: "Es obvio que se trata de una matriz abstracta y homogénea, manifestación extrema de la voluntad moderna capitalista de racionalización y control, pero ¿no corresponde analizar junto a sus implicaciones de dominio sus efectos de igualación?, ¿junto a su estímulo a la especulación, su imposición de un marco –formal, jurídico, político– con frecuencia demasiado rígido para los especuladores?". Y continúa: "Quizá sirva como ilustración el contraste con lo que fue más común para la época en las ciudades latinoamericanas: en ellas, ante un estado prescindente, o socio directo de los inversores inmobiliarios, los loteos nuevos carecieron de toda reglamentación, de todo contacto entre sí y de toda pertenencia a una imagen global de la futura ciudad que estaban constituyendo, lo que dio origen a la típica distribución latinoamericana entre ciudad *legal* y ciudad *ilegal* [...] La existencia en Buenos Aires de un tablero público extendido no sólo a toda la ciudad existente, sino previendo un crecimiento que sólo se daría en décadas, fue una de las bases materiales urbanas que generó la posibilidad de un espacio público y que asentó en la estructura urbana uno de los factores clave de la futura integración social y cultural" (*La grilla y el parque*, ob. cit., pp. 27 y 28). La grilla, afirma Gorelik, en lugar de convertir a Buenos Aires en una ciudad a la europea fue percibida por los visitantes europeos de comienzos de siglo XX como el rasgo diferencial que atenuaba los atractivos de una ciudad que, por otras razones sociales y culturales, les impresionaba arraigada en el *ethos* cultural de la "Europa latina" (ob. cit., p. 89).
80 Adrián Gorelik, "Mapas de identidad", *Miradas sobre Buenos Aires. Historia cultural y crítica urbana*, Buenos Aires, Siglo XXI, 2004, p. 44.
81 Wolfgang Tichy me avisó sobre la existencia de esta novela y me facilitó un ejemplar fotocopiado de la tardía edición de 1985 (Fráncfort del Main, Röderberg-Verlag,). Las citas anteriores son de pp. 53, 60 y 110.
82 Citado por Peter Madsen y Richard Plunz: *The Urban Lifeworld*, Londres-Nueva York, Routledge, 2002, p. 27. Las *WPA Guides* fueron producidas por el Federal Writing Project-Works Progress Administration, entre 1935 y 1942.

83 Rem Koolhaas, *Delirio de Nueva York. Un manifiesto retroactivo para Manhattan*, Barcelona, Gili, 2004. Las citas son de pp. 196 y 204 respectivamente.

84 Roberto Arlt, "El rascacielo y la plazuela" (mayo de 1937), *Aguafuertes porteñas*, ob. cit., pp.112-13.

85 Roberto Arlt, "Corrientes por la noche" (marzo de 1929), ibíd.

86 Adrián Gorelik y Graciela Silvestri, "El pasado como futuro. Una utopía reactiva en Buenos Aires", *Punto de Vista*, núm. 42, abril de 1992.

87 Reproducida en la antología compilada por Madsen y Plunz, *The Urban Lifeworld*, ob. cit.

88 Peter Madsen y Richard Plunz, ibíd., p. 72.

89 Jorge Liernur escribe: "En el concurso para el plan maestro de los terrenos de Puerto Madero [realizado durante la intendencia de Carlos Grosso] y en las obras que se realizaron siguiendo sus orientaciones confluyeron de la manera más intensa los distintos tipos y modelos de acciones que se deducían de las nuevas actitudes frente al fenómeno urbano. Ciudad por partes, construcción de *ghettos* de ricos, 'gentrificación', creación de una zona privilegiada con máxima renta, de posición histórica y paisajística y con el máximo valor absoluto de los predios, por su ubicación junto a los terrenos centrales de la *city*, Puerto Madero permitió imaginar una verdadera isla, una imagen urbana perfecta para los poderosos de los noventa. La circulación de público por los paseos durante los fines de semana no puede confundirse con un uso público del lugar, cuando los programas edilicios están mayoritariamente dirigidos a cubrir expectativas de minorías de consumidores, y mientras ese 'público' se limite a mirar en los escaparates la buena vida de los otros" (*Arquitectura en la Argentina del siglo XX. La construcción de la modernidad*, Buenos Aires, Fondo Nacional de las Artes, 2001, p. 378).

90 Roland Barthes, *La torre Eiffel. Textos sobre la imagen*, Buenos Aires, Paidós, 2001, p. 61.

91 Véase: Adrián Gorelik y Graciela Silvestri, "El pasado como futuro", art. cit.

92 Carlos Gamerro, *Las islas*, Buenos Aires, Simurg, 1998, p. 13.

93 Rodolfo Fogwill, *En otro orden de cosas*, Barcelona, Mondadori, 2001.

94 Emily Thompson, "Les bruits de la ville", en Mirko Zardinni (ed.), *Sensations urbaines*, ob. cit., p. 168.

95 Cecilia Pavón, "Congreso/1994", en Juan Terranova (ed.), *Buenos Aires. Escala 1:1*, ob. cit., pp. 108-109.

96 "Frente a la decadencia de la mimesis (ni la escultura ni la pintura intentan traducir lo real o copiar la naturaleza) [...] se toma en cuenta el lugar de exhibición como nueva figura de la obra [...] La instalación *in situ*, el arte ambiental testimonian que la arquitectura posee la capacidad de albergar otros dominios artísticos y a veces es difícil, casi imposible, distinguir dónde comienza el espacio de la obra y dónde se sitúan los límites de su continente" (Martine Bouchier, "L'art n'est pas l'architecture", en Chris Younès (ed.), *Art et philosophie, ville et architecture*, ob. cit., pp.108-109 y 102 respectivamente).

97 Me referí por primera vez a la intervención al mural en una nota publicada en la revista dominical del diario *Clarín*, en abril de 2005.
98 Véase el esclarecedor ensayo de Jorge Belinsky, *Lo imaginario: un estudio*, Buenos Aires, Nueva Visión, 2007. Allí afirma: "[...] El paulatino avance de la ciencia que va ligando territorio y mapa, sabiendo, y tal es su drama, que no puede ir en su demanda 'cartográfica' más allá de lo que la 'territorialidad' le ofrece. En este avance [...] la ciencia tropieza con lo que constituye el principal obstáculo para su tarea y, a la vez, la prenda de un modo diferente de conocer, un modo que ya no es el suyo, sino el del arte y el mito. En otros términos: la ciencia se encuentra con el significante flotante; el pensamiento científico se enfrenta con el orden simbólico" (pp. 42-43).
99 Rómulo Macció, *Río de la Plata*, óleo sobre tela, 90 x 340 cm, 1997, reproducido en el *Catálogo* de la exposición "Rómulo Macció. Retratos y lugares", Museo Nacional de Bellas Artes, Buenos Aires, 2007.
100 Ivo Mesquita, "Pablo Siquier: vivir la ciudad", en *Catálogo* de la Exposición en el Centro de Arte Reina Sofía-Palacio de Velázquez, junio-septiembre de 2005, p. 23.
101 "Cuando Judd publicó el manifiesto minimalista, Rueda ya estaba bastante concentrado en su búsqueda de la realidad de las proyecciones tridimensionales [...] Pronto, los lienzos y los collages en relieve dieron paso a montajes tridimensionales enmarcados en anchas estructuras o cajas que incorporaban elementos arquitectónicos como molduras o que hacían referencia a la arquitectura" (Barbara Rose, "Gerardo Rueda, escultor", *Letra Internacional*, 95, 2007, p. 7). Afirmaba Rueda en 1983: "La pura sencillez que embarga todos los objetos tiene que ser la fuente de inspiración para una realización impecable que haga temblar la mano. Una construcción que parece haber sido realizada por una máquina, pero una máquina que piensa y razona y que está dotada de una enorme sensibilidad" (ibíd.). Sobre Gerardo Rueda véase: Juan Manuel Bonet, *Rueda*, Barcelona, Ediciones Polígrafa, 1994.
102 Nora Dobarro, *Proyecto Arte Concreto en la calle* (libro y CD), Buenos Aires, Libro Disociado, 2007. Las fotografías se expusieron en la galería Ruth Benzacar en 2006 y en el Centro Cultural Recoleta en 2007.
103 Graciela Silvestri, *El color del río*, ob. cit., p. 305.
104 Véase obra del artista en www.felixrodriguez.com.ar.

5. LA CIUDAD IMAGINADA

105 Diego Bigongiari, *BUE. Buenos Aires y alrededores*, 2 vols., Buenos Aires, Rumbo Austral, 2008.
106 Es el caso de los Eternautas (Ricardo Watson, Lucas Rentero, Gabriel Di Meglio), informados y académicamente responsables de los paseos que sugieren en su *Buenos Aires tiene historia. Once itinerarios guiados por la ciudad*, Buenos Aires, Aguilar, 2008.
107 *Guía total Buenos Aires. Todo lo que hay que saber para no sentirse como un turista*, ed. por Gonzalo Álvarez Guerrero, Marcelo Panozzo, Pablo Curti, Juan Frenkel y Denise Stasi, Buenos Aires, Emecé, 2007.

108 "Bajo la denominación 'paisaje industrial' el urbanismo contemporáneo ha incluido puertos, represas, canteras; se han preservado guinches, puentes, grúas, almacenes y fábricas, adornados con lucecitas de colores como en un parque de diversiones. Desde la cuenca del Ruhr hasta el puerto de Londres, la rehabilitación de estos enclaves se convirtió en uno de los temas predilectos de la arquitectura reciente. En Buenos Aires, la rehabilitación de Puerto Madero constituyó el caso *leader* de revalorización de un idealizado pasado productivo, y más tarde se extendió al Riachuelo, también puerto. Frecuentemente, la rehabilitación de estas formas se adscribe a un programa cultural con inflexiones turísticas y de marketing urbano" (Graciela Silvestri, *El color del río*, ob. cit. p. 31).

109 Mario Sabugo, *Buenos Aires. Excursiones mínimas*, Buenos Aires, H. Kliczkowski, 2006 (ilustraciones de Edgardo Minond).

110 Excepcional es la acidez con que Diego Bigongiari adjetiva las menciones de edificios, lugares y negocios. Las manifestaciones ideológicas explícitas sobre la clase alta argentina y su mal gusto *pompier*, la retórica con la que se refiere a la dictadura militar como "Nacht und Nebel", la hacen una guía particularmente apropiada para porteños escépticos y visitantes de izquierda.

111 Gabriela Kogan propone, en esta línea de ciudad caminable, su *Buenos Aires 16 recorridos a pie*, Buenos Aires, De Bolsillo, 2008 (ed. bilingüe inglés-español).

112 Ejemplos recientes de miradas descentradas y sensibles: Jorge Carrión, *La piel de La Boca*, Buenos Aires, Libros del Zorzal, 2008; Antoni Martí Monteverde, *L'erosió. Un viatge literari a Buenos Aires*, Barcelona, Ediciones 62, 2001. Y sobre Barcelona y otras ciudades europeas y americanas, véase el ensayo-ficción de Mauricio Tenorio Trillo, *El urbanista*, México, Fondo de Cultura Económica, 2004.

113 Rem Koolhaas, *Assemblage*, art. cit., p. 43.

114 Françoise Choay, "Patrimoine", *Pour une anthropologie de l'espace*, ob. cit., pp. 265-266.

115 "Todas las ciudades se espejaron siempre en otras ciudades, buscando modelos que encarnaran virtudes o vicios, Jerusalem o Babilonia, o, menos metafóricamente, la dignidad del progreso o de la historia, París o Nueva York, Venecia o Barcelona" (Adrián Gorelik, *Miradas sobre Buenos Aires. Historia cultural y crítica urbana*, ob. cit., p. 73).

116 Ascensión Hernández Martínez, *La clonación arquitectónica*, Madrid, Siruela, 2007, p. 35.

117 Título del libro de Raphael Samuels: *Theatres of Memory. Past and Present in Contemporary Culture*, Londres, Verso, 1994.

118 Oliverio Coelho, *Ida*, Buenos Aires, Norma, 2008, p. 89.

119 El subsuelo del café (sin visitantes cuando el bar estaba colmado) muestra otras modalidades de la evocación: por un lado, los souvenirs del café *shop* (que incluyen, para ofertar a los extranjeros, cajas de Rutini y de Catena y colecciones completas de CD, inevitables libros de Aldo Sessa y porcelanitas varias); por el otro, una colección de interesantes fotografías históricas y de reproducciones en miniatura de colectivos porteños.

120 Otilia Arantes, *Urbanismo em fim de linha e outros estudos sobre o colapso da modernização arquitetônica*, San Pablo, USP, 1998, p. 152.

121 Una línea de especialistas en estudios urbanos sostiene que "se implicaba a la cultura en los procesos de desarrollos desiguales en ciudades donde funcionaban como una especie de 'máscara carnavalesca'." (Tim Hall, "Opening up Public Spaces: Art, Regeneration and Audience", *The City Cultures Reader*, Londres, Routledge, 2000, p. 111). En su análisis del arte en espacios públicos, publicado en *Artforum* en 1989, Patricia Phillips se pregunta qué es 'lo público' en el arte, producido especialmente por programas urbanos. Y responde: "El espacio público, tal como hoy se lo define, es, en verdad, un eufemismo socialmente aceptable utilizado para designar un área dejada de lado por los desarrolladores privados" ("Out of Order: the Public Art Machine", ob. cit., p. 192). Señala por otra parte la paradoja de que las formas de arte y espectáculo 'públicos' son consumidas mayoritariamente, a través de su difusión en los medios, en el espacio más privado. Sólo una minoría utiliza efectivamente ese espacio público de arte; para la mayoría es una información accesible sólo a través de los medios.

122 "La ideología de la fábrica como centro cultural. Buenos Aires: Una fábrica recuperada por sus trabajadores es a la vez un estimulante centro cultural", en www.cafedelasciudades.com.ar.

123 "Los artistas ocuparán una vieja fábrica para llenarla de cultura", *La Nación*, 25 de noviembre de 2003.

124 "El repunte de la construcción de viviendas no fue igual en todos los barrios de Buenos Aires durante 2003. Las inversiones de los desarrolladores inmobiliarios y las constructoras estuvieron concentradas en las zonas más cotizadas, y Palermo fue la favorita, a juzgar por la cantidad de metros cuadrados en obra que registra. Con casi 112.000 m² en construcción, representa cerca del 15% del total de la nueva superficie residencial cubierta de la Ciudad y lidera el ranking, según un informe de ICI Consultoría y Servicios. [...] En general, más del 50% de los nuevos desarrollos residenciales se ubica en apenas cinco barrios. A Palermo le sigue Puerto Madero, con 92.093 m² (12,3% del total); Caballito (12%); Belgrano (9,7%) y Villa Urquiza (7,3%) [...] Los permisos otorgados para realizar obras también resultan un buen termómetro para medir el alza de la actividad. En la Capital, la superficie autorizada se incrementó en más de 400% entre enero y noviembre de 2003, en relación a 2002, según la Dirección General de Estadísticas y Censos porteña, frente a un crecimiento de la construcción menor al 40% a nivel país. Durante los primeros once meses del año pasado se aprobaron con fines de ampliación y obra nueva 1.400 legajos por 1.199.292 m², contra 690 por 297.867 metros de todo 2002. 'En diciembre se sumaron otros 50.000 m², con lo cual se habría cerrado el año en 1,25 millón de m², una cifra que superó el millón de 2001', afirma Rozados. Al ser permisos, estos datos no reflejan sólo las obras en marcha sino también las que podrían comenzar este año (Fuente: Giselle Rumeau, *El Cronista Comercial*, 12 de enero de 2004; ReporteInmobiliario.com, enero de 2004.) Daniel Silberfaden, presidente de la Sociedad Central de Arquitectos, relativiza la

importancia del llamado *boom*: "Buenos Aires logró un crecimiento importante en la construcción privada entre 2003 y principios de 2008, cuando se comienza a reflejar una caída de la actividad. Sin embargo, sólo se recuperó lo que dejó de construir en 10 años anteriores de crisis de la construcción. Técnicamente repuso el parque de viviendas que Buenos Aires perdió por ruina, amortización o crecimiento cada año. Lejos de la euforia inmobiliaria, simplemente se reemplazó la dotación de lo que ya tenía, pero acotado a un segmento poblacional que financió la actividad. Muy lejos de aquella imagen del horizonte repleto de grúas, característico de los años 90 en ciudades como Barcelona, Lisboa, Madrid y Miami, o principios de 2000 en San Pablo, Dubai o Panamá. Se ha invertido en los últimos cinco años en zonas consagradas como 'seguras'. La gran escala y calidad de última tecnología se verifica sólo en algunos focos relativamente pequeños, como Puerto Madero o la zona norte. El resto de la ciudad erigió edificios de menor porte y calidad inferior. La inversión es, en este caso, de grupos medianos y pequeños que accedieron a suelo más económico, especialmente en los llamados subcentros barriales" (*La Nación*, 29 de julio de 2008).

125 Alberto Magnaghi, *Le projet local*, Sprimont (Bélgica), 2003, p. 16; trad. al francés del original italiano publicado en 2000 por Bollati Bolinghieri.

126 Manuel Delgado, *Elogi del vianant. Del "model Barcelona" a la Barcelona real*, Barcelona, Edicions de 1984, 2005, pp. 61-62.

127 Véase una sistematización de los rasgos de los "barrios culturales" en John Montgomery, "Cultural Quarters as Mechanisms for Urban Regeneration. Part 1: Conceptualising Cultural Quarters", *Planning, Practice & Research*, vol. 18, núm. 4, noviembre de 2003.

128 "Vecinos de Plaza Cortázar se quejan de los vendedores", *Clarín*, 18 de julio de 2005. Hoy sucede lo mismo en la calle Honduras.

129 Juan Terranova, *Mi nombre es Rufus*, Buenos Aires, Interzona, 2008, p. 126.

130 Dato de una gran inmobiliaria, que cita Carmelo Ricot en su ácido artículo sobre Palermo, "La preocupante boludización de Palermo Viejo. De la recuperación barrial al snobismo gastronómico", www.elcafedelasciudades.com.ar.

131 "De los espacios otros", conferencia de 1967, publicada en *Architecture, Mouvement, Continuité*, núm. 5, octubre de 1984; cito la traducción de: www.bazaramericano.com/arquitectura.

132 Para que el ejemplo no sea atribuido solamente a los expertos en comunicación locales, o latinoamericanos, cito una nota, en el mismo sentido, publicada por el diario francés *Le Monde* el 10 de marzo de 2000. "Las nuevas tecnologías serían crecientemente usadas por los ciudadanos, en primer lugar para adquirir un mayor dominio sobre los espacio-tiempos individuales [...] Los ciudadanos serán cada vez más autónomos en ciudades con redes técnicas cada vez más complejas. Y las desigualdades sociales se expresarán largamente por las desigualdades frente a la autonomía urbana". Manuel Castells ha sido el profeta y el teórico de estas redes. Una síntesis académica puede leerse en Stephen Graham y Simon Marvin, *Telecommunications and the City: Electronic Spaces, Urban Places*, Londres, Routledge, 1995. Con mayor inteligencia, Rem Koolhaas ofrece, por el contrario, una

hipótesis futurista de ciudad "sedada" pero inerte: "La Ciudad Genérica es lo que queda después de que grandes sectores de la vida urbana se pasaron al ciberespacio. Es un lugar de sensaciones tenues y distendidas, de contadísimas emociones, discreto y misterioso como un gran espacio iluminado por una lamparilla de noche. Comparada con la ciudad clásica, la Ciudad Genérica está *sedada*, y habitualmente se percibe desde una posición sedentaria" (*La ciudad genérica*, Barcelona, Gustavo Gili, col. "Mínima", 2007, p. 15).

133 De todos modos, si se toma la ciudad de Buenos Aires, según datos del INDEC de 2006, el acceso a la banda ancha había aumentado, de septiembre de 2005 a septiembre de 2006, más de un 76 por ciento. Casi el 50 por ciento de la banda ancha sirve a usuarios de la ciudad de Buenos Aires. Fuentes: INDEC, "Acceso a Internet", septiembre de 2006; y Asociación Argentina de Televisión por Cable.

134 "Los atraparon por mostrar en la Web lo que robaban; los botines eran un televisor y alfajores", *La Nación*, 12 de septiembre de 2008. La otra noticia comentada es "Floggers incendian vehículos, les toman fotos y las suben a la Web. Hay seis detenidos, tres de ellos son menores", *La Nación*, 11 de septiembre de 2008.

135 "Veinte detenidos tras una pelea entre adolescentes; Emos, Floggers y Raperos chocaron en las escalinatas del centro comercial y fueron demorados en la comisaría 9ª", *La Nación*, 8 de septiembre de 2008.

136 Georg Simmel, "El aventurero", *Sobre la individualidad y las formas sociales. Escritos escogidos*, Buenos Aires, Universidad Nacional de Quilmes, 2002, pp. 256-257.